Duell der Giganten

EGMONT EHAPA VERLAG GMBH

IMPRESSUM

Walt Disney Lustiges Taschenbuch erscheint vierwöchentlich bei
Egmont Ehapa Verlag GmbH, Wallstraße 59, D-10179 Berlin
Chefredakteur: Peter Höpfner, Wallstraße 59, D-10179 Berlin
Leser- und Aboservice Deutschland: Lustiges Taschenbuch Leserservice, D-20080 Hamburg,
Telefon: 018 05-700 58 00 (14 Cent/Minute), Fax: 018 05-861 80 02 (14 Cent/Minute),
E-Mail: info@ehapa-service.de • abo@ehapa-service.de
Leser- und Aboservice Schweiz: Lustiges Taschenbuch Leserservice, Postfach, CH-6002 Luzern,
Telefon: 041-329 22 85, Fax: 041-329 22 04,
E-Mail: info@ehapa-service.ch • abo@ehapa-service.ch
Leser- und Aboservice Österreich: Lustiges Taschenbuch Leserservice, Postfach 5, A-6960 Wolfurt,
Telefon: 08 20-00 10 87 (13,5 Cent/Minute), Fax: 08 20-00 10 86 (13,5 Cent/Minute),
E-Mail: info@ehapa-service.at • abo@ehapa-service.at
Marketing und Kooperationen: Jörg Risken (Unit-Leitung) - j.risken@ehapa.de
Matthias Maier (Senior Produkt-Manager) - m.maier@ehapa.de
Druck: GGP Media GmbH, Karl-Marx-Str. 24, D-07381 Pößneck
Anzeigenleitung (verantwortlich): Ingo Höhn, Egmont Ehapa Verlag GmbH,
Wallstraße 59, D-10179 Berlin
Anzeigenverkauf Deutschland: Julia Bosch, Tel.: 030-240 08-598
Anzeigenverkauf Österreich: Sylvia Beinhart, Tel.: 01-470 09 91
Anzeigenverkauf Schweiz: Print Promotion, Tel.: 026-673 25 20

Kontakt Walt Disney Publishing: Jürgen Drescher (Juergen.Drescher@disney.com)

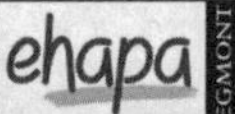

COMICS

LIEBE FREUNDE!

Ein gigantischer stählerner Panzerknacker stampft zu allem entschlossen auf Onkel Dagoberts Geldspeicher zu, reißt ihn mit einem einzigen Ruck aus dem Boden und sucht mit seiner Beute das Weite ... Was sich anhört wie aus einem Horrorfilm, hat sich – so unglaublich es klingen mag – tatsächlich abgespielt. Hier in Entenhausen und vor unseren Augen! Wer hinter dieser üblen Tat steckt, ist unschwer zu erraten. Aber ihr werdet mit Sicherheit überrascht sein, wie die Sache ausgeht.
Dass Onkel Dagobert ein knallharter Geschäftsmann ist, der manchmal auch nicht vor nur noch gerade so ganz knapp legalen Maßnahmen zurückschreckt, dürfte ja hinlänglich bekannt sein. Dass er es aber tatsächlich wagt, einen Vertrag zu fälschen, um mich und meine unschuldigen kleinen Neffen vor die Tür zu setzen, ist wirklich mehr als frevelhaft! Allerhöchste Zeit also, ihm mal wieder einen ordentlichen Denkzettel zu verpassen. Und wer könnte das besser als Phantomias ...
Als Agent DoppelDuck habe ich in Begleitung von Daisy diesmal einen Auftrag in Paris zu erledigen. Allerdings kann ich mich des Eindrucks nicht erwehren, dass man mich lediglich als Ablenkung auf zwei Beinen an die Agenten-Front schickt und dabei auch noch meine arglose Verlobte in Gefahr bringt. Doch das ist bei Weitem nicht alles, womit ich zu kämpfen habe!
Übrigens werdet ihr staunen, wer gänzlich unerwartet aus der Versenkung auftaucht und mich aus einer sehr prekären Lage rettet.

Spannende Unterhaltung und eine tolle Zeit wünscht euch

euer Donald

Fähnleinführer wider Willen

Pat und Carol McGreal (Story), **Fecchi** (Zeichnungen)

Richtig, das hatte ich fast vergessen. Die große Belohnung für besonders rührig schweifende Fiesel... oder irgendwas in der Preisklasse.
Genau genommen handelt es sich um eine Anerkennung erster Ordnung für tadellos vorgelebte Pfadfindertugenden. **Allzeit bereit!**

Wie du weißt, besteht die Belohnung aus einer Kreuzfahrt auf dem Luxusdampfer „Frida Frömmler“ entlang der Küste von Puerto Pharisäa!

Natürlich weiß ich das. Ist nicht mehr lang hin bis zur Abfahrt, oder?
Nein, nicht sehr. Wir...

...fahren heute.
Was? Heute?

Warum habt ihr mir das nicht gesagt?
Haben wir doch, Onkel Donald. Im Moment.

Zeigt mal, was habt ihr denn noch auf die Schnelle eingekauft? Ein Päckchen Kaugummi gegen die Seekrankheit, wie?
Komm halt und sieh's dir an.

Sonnenmilch? Kameras? Filme? Sonnenbrillen? Taucheranzüge? Schnorchel und Taucherbrillen? Mir bleibt die Luft weg.
Nur ein paar Kleinigkeiten.

Ein paar Kleinigkeiten, die zusammen genommen ein Vermögen kosten. Und wen? Mich!

Wie, bitte sehr, soll ich zu dem Geld kommen?
Sagt dir das Wort „Arbeit" etwas?

Da du in nächster Zeit nicht mit unserer Erziehung überfordert bist, kannst du ja Doppelschicht fahren in der Margarinefabrik.
Die haben mich gefeuert. Seufz! Packt zusammen, ich bringe euch zum Schiff.

Wenig später...
Himmel, hier wimmelt es vor lauter Kleingefiesel. Gibt es in dem Getümmel auch jemanden mit Überblickspflicht?
Den weiß im Zweifelsfalle ich zu wahren! Generaloberstblicknant Pastorius Pummel!
Ich begleite die Jungs, gemeinsam mit meinem Sohn Patzlaf, Fähnleinfachführer für Zucht, Ordnung und die Bekämpfung der gemeinen Fruchtfliege!
Schaut euch den Kahn an! Wer hätte gedacht, dass man uns mal so luxuriös verschaukeln würde!

Und Sie sind sicher, dass Sie mit dem wilden Haufen zurande kommen?
Im Stande fest und führungsstark lautet mein Motto! Das flutscht wie geschmiert.
Hoppa?
FLUTSCH!

Umpf!
Autsch. Irgendwie hat er es berufen.
WOMM!

Mit dem geübten Auge des erfahrenen Pechvogels würde ich auf einen komplizierten Bruch des Ellbogens tippen.
Aua! In dem Zustand kann ich den Ausflug unmöglich leiten!

Und ohne verantwortlichen Erwachsenen fällt die Kreuzfahrt ins Wasser.
O nein!

Und was ist mit Onkel Donald?
Kann er mit uns kommen?
Ich?

So gesehen eigentlich gerne. Aber ich sollte mir doch eine Arbeit suchen, schon vergessen?
Wenn's nur daran scheitert.

Mir gehört die **Pummels Pflegeliegen GmbH & Co KG.** Wir machen Matratzen. Nach der Kreuzfahrt können Sie sofort bei mir anfangen, wenn Sie wollen.
Matratzen?

Vor Donalds innerem Auge tut sich das paradiesische Bild einer geruhsamen Tätigkeit als Matratzentester auf...
Soll noch einer behaupten, dass man sein Geld nicht im Schlaf verdienen kann.

Ich bin dabei! Allerdings hab ich mich noch nie als Generaloberstwiesel-wächter versucht.
Halb so schlimm!

Als Fähnleinfachführer bringt mein Sohn Patzlaf die nötige Erfahrung mit. Er wird schon dafür sorgen, dass es da langgeht, wo es hin-muss!

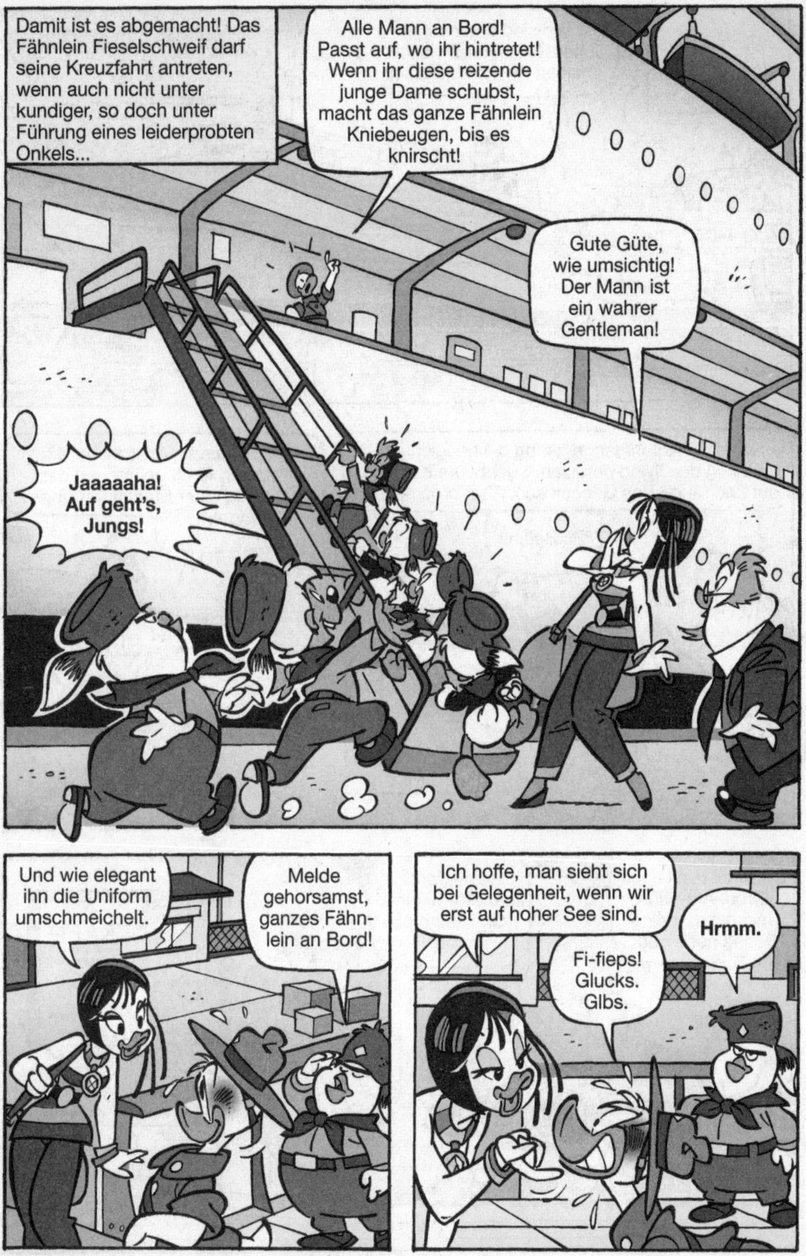

Damit ist es abgemacht! Das Fähnlein Fieselschweif darf seine Kreuzfahrt antreten, wenn auch nicht unter kundiger, so doch unter Führung eines leiderprobten Onkels...

Alle Mann an Bord! Passt auf, wo ihr hintretet! Wenn ihr diese reizende junge Dame schubst, macht das ganze Fähnlein Kniebeugen, bis es knirscht!

Gute Güte, wie umsichtig! Der Mann ist ein wahrer Gentleman!

Jaaaaaha! Auf geht's, Jungs!

Endlich legt der Luxusdampfer ab...
Wir sind unterwegs, Jungs! Nächster Zwischenhalt ist Puerto Pharisäa!

So, jetzt habt ihr lange genug die neugierigen Nasen in den Wind gehalten. Sucht eure Kabinen auf und räumt das Gepäck aus. Aber ordentlich!
Zu Befehl!

Ich erwarte, dass ihr eure Pflichten ernst nehmt und das Idealbild einer Pfadfindertruppe abgebt!

Du klingst voll nach Profi. Am Ende machst du deine Sache noch gut!
Keine Ironie in Uniform, bitte. Oh, seht mal, ein Kiosk!
KAPITÄNS-KIOSK
ERFRISCHUNGEN ALLER ART

Was haltet ihr davon, wenn ich eine Runde Blubberlutsch für das versammelte Fähnlein springen lasse?
Viel!

Augenblick, Herr Duck! Haben wir nicht eine grundlegende Regel der Verhaltens-vorschriften für Fieselschweiflinge vergessen?

Haben wir? Und wie lautet die Regel?
„Ein Fieselschweifling hat auf seine Gesundheit zu achten. Keine fettstrotzenden Fressalien, keine zuckerlastigen Limos.“

Klingt reichlich erfunden.
„Und keine fahrlässige Verbrüderung mit Frauen!“

Das hast du dir definitiv aus den Fingern gesaugt!
Das glauben Sie! Aber wenn Sie Zucht und Ordnung unbedingt gering schätzen wollen, muss ich es meinem Papa erzählen. Dann ist Essig mit Ihrer Arbeit.

Soll er Fliegen fangen, der kleine Knödel. Moralinsaure Mini-Großmäuler kann ich nicht ab.
Aber ich hab keine Wahl. Wegen des Jobs.

Nicht lange danach...
Haaach ja! Nicht schlecht, die Kojen! Dafür, dass sie uns keinen Kreuzer kosten.
Und die Decken und Kopfkissen reichen auch für den ganzen Haufen.
Apropos Kissen... Schlacht ist angesagt!

Nimm das!
Mach ich! Und geb's gleich weiter an den Nächsten!
Der bin ich! Aber wer kommt dann?

Unser Patzlaf natürlich!
Hört sofort auf mit dem Blödsinn! Habt ihr denn total die Regel vergessen?

„Ein Fieselschweifling vermeidet stets, einen kindischen Eindruck zu machen!" – Habe ich recht, Herr Duck?

Ähem... aber sicher hast du recht...
...du pompöser kleiner Pummelpopanz!

Also, Männer... bis es Zeit ist, in die Kojen zu kriechen, erwarte ich Friedensruhe und Stille! Versucht es meinetwegen mit Stricken!
Guter Vor-schlag! Wird unterstützt!

Ich meinerseits gehe ein wenig frische Luft schnappen.
Ah?

In einer halben Stunde ist Appell! Kommen Sie nicht zu spät!
Ach ja? Danke für den netten Hinweis. Schnorch!

Ich kann diese kleine Nervensäge langsam nicht mehr sehen.

Jetzt erst mal einen Blubberlutsch!
Den mag ich nicht, dem trau ich nicht, den behalte ich besser gut im Auge.

In der Bar...
Einen Blubberlutsch, bitte, eiskalt und eilig!

Da sind Sie ja! Sie glauben gar nicht, wie ich mich freue, dass Sie unsere Verabredung nicht vergessen haben.
Tatsächlich? Wir waren verabredet?

Ich verstehe. Wenn wir so tun, als hätte uns der Zufall zusammengeführt, ist es romantischer. Setzen Sie sich doch!
Ich... ürks... gerne... ja...

Da-darf ich fragen, mit wem ich die Ehre habe?
Ich bin Baroness Belinda von Blütenflug. Mein Vater und ich sind wohlhabende Adlige auf einer Weltreise.

Adel. Natürlich. Das erklärt den riesigen Diamanten, den Sie tragen. So einen großen hab ich noch nie gesehen.
Ach, nur ein altes Familienerbstück. Nicht weiter von Bedeutung.

Oh, ich schätze doch, der ist ein Schwei... äh... einen ziemlichen Haufen Geld wert.
Wahrscheinlich. Schnüff! Aber das kann mein Problem auch nicht lösen!

Das klingt ja dramatisch. Was haben Sie denn?
Ach, es ist furchtbar. Mein Vater besteht darauf, dass ich in Puerto Pharisäa einen Herzog heirate.

Tatsächlich? Das ist natürlich ein, äh... hartes Los.
Ja, grauenhaft. Ich will keinen angejahrten Aristokraten zum Gatten.

Ich ziehe einen einfachen Mann aus dem Volk vor. So wie Sie.
Wi-wie mi... mlbs.

Hören Sie sofort auf, die Dame zu belästigen!
O nein! Das ist mein Vater! Er hat uns ertappt!
Ertappt wobei? Wir haben doch gar nichts getan!

Was fällt Ihnen ein, meiner Tochter den Hof zu machen? Sie ist verlobt!
Hat sich was mit „Hof machen"! Sehe ich etwa aus wie ein Hofnarr?

Mich können Sie nicht täuschen! Ich erkenne einen Mitgiftjäger, wenn ich einen sehe!
Sachte, ich jage weder mit Gift noch ohne.

TRARIIITRARAAA!

Moment, was höre ich da? Das abendliche Sammelsignal des Fähnlein Fieselschweif!

TRARITRARATRARIII!
„Alle Mann in die Kojen!" Und zwar, bevor es endet! Sie entschuldigen mich!
Ihr Glück, junger Mann, Ihr Glück!

TRARITRARAAA!
Ich verzieh mich besser, bevor er merkt, dass ich ihn beobachte!

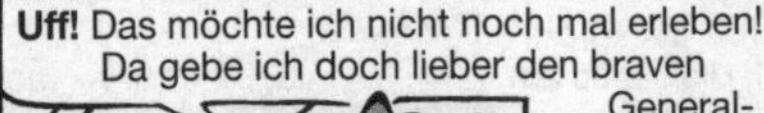

Uff! Das möchte ich nicht noch mal erleben! Da gebe ich doch lieber den braven General-oberst-wiesel-onkel!
TRARAAA...

Mehr Druck, Trick! Du hängst um einen ganzen Halbton durch!
TRARAAAAAAA!
Gut gemacht, Onkel Donald! Wir haben mit den andern gewettet, dass du's rechtzeitig auf die Stube schaffst!

Danke für das Vertrauen! Und jetzt haut sich das Fähnlein in die Falle, wir haben morgen einen anstrengenden Tag vor uns.
Zu Befehl!

Na was? Haben die hier die Kissen mit Backsteinen gestopft? Das Ding ist ja knochenhart!

Ach so, der Blubberlutsch! Noch zu. Den hab ich in der Aufregung offenbar mitgeschleppt, ohne es zu merken.

Ich lasse ihn lieber schnell unter dem Kissen verschwinden, bevor noch jemand...
Was machen Sie denn da?

Patzlaf! Kannst du deine Funzel nicht woanders hinhalten?
Erst wenn Sie mir sagen, was Sie da tun!

Ich schüttle mein Kissen auf. Dürfte schwerlich ehrenrührig sein, oder?

Das weiß man bei Ihnen nie! Sie finden immer eine Regel, um sich nicht an sie zu halten.

Wenn sich das nicht ändert, sag ich es meinem Papa.
Aber es hat sich doch schon geändert. Ich hab beschlossen, ein ehrbares aufrechtes Vorbild für Fiesel-schweiflinge zu sein!

Das werden wir ja sehen! Strengen Sie sich an, ich behalte Sie im Auge!
Du kannst dich auf mich verlassen, Patzlaf. Nun geh schön.
Und hau dich in die Falle, du fieses Frett-chen!

Nicht lange, und der neue Tag erwacht...
Aus den Federn, Fähnlein! Die Sonne lacht und wir wollen auch keine Kinder von Traurigkeit sein! Macht euch bereit für die Morgengymnastik!
Morgengymnastik? Am helllichten Vormittag?
Muss das denn sein?

Fünfzig Liegestütze sind das Mindeste. Und danach ein Dauerlauf über das Sonnendeck, so will es die Regel! Richtig, Fähnleinfachführer Patzlaf?
Keine Einwände bis jetzt. **Schnauf!**

Tief durchatmen, Jungs! Die frische Seeluft verleiht neue Kräfte!
Morgen, Herr Baron! Sie sehen, ich bin zu beschäftigt, um auch nur einen Hof zu machen!
Hrmpf!

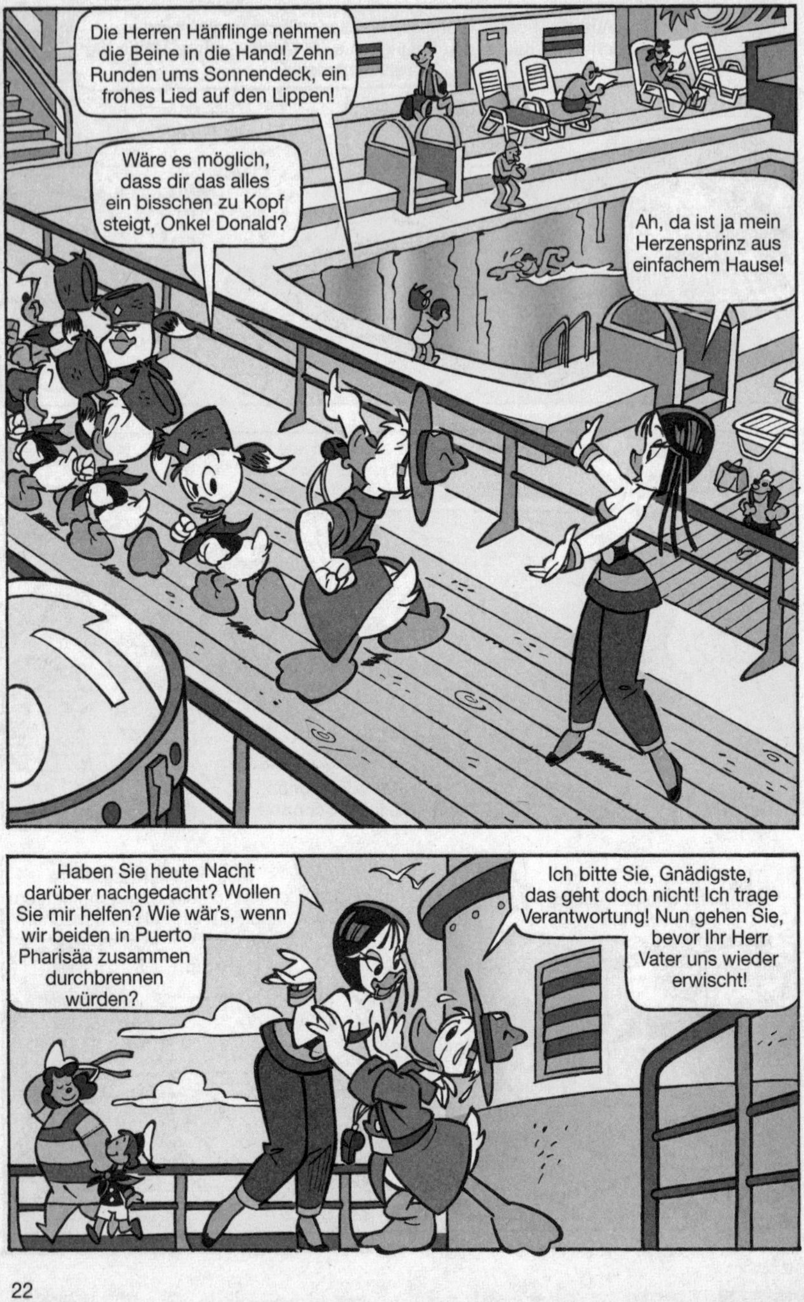

Die Herren Hänflinge nehmen die Beine in die Hand! Zehn Runden ums Sonnendeck, ein frohes Lied auf den Lippen!

Wäre es möglich, dass dir das alles ein bisschen zu Kopf steigt, Onkel Donald?

Ah, da ist ja mein Herzensprinz aus einfachem Hause!

Verflixt! Schon passiert!
Was sehe ich? Habe ich Sie nicht ausdrücklich gewarnt, sich meiner Tochter zu nähern?

Nun machen Sie aber mal halblang, Baron! Wenn ich mich überhaupt irgendetwas nähere, dann dem Ende meiner Geduld!
Aber... aber, Belinda! Dein Collier!

Wo ist es? Sag nicht, du hast es unbewacht in deiner Kabine gelassen!

Das würde ich doch niemals tun, Vater! Nein, es... es ist verschwunden!

Kraiiiiisch!
Hören Sie auf! Sonst läuft das ganze Schiff zusammen!

Zu spät, Onkel Donald! Der Kapitän ist schon im Anmarsch. Mit seiner Wachmannschaft im Schlepptau!
Warum hab ich das Gefühl, dass mir Ärger ins Haus steht?

Äh... ich wollte sagen... ähm, Sie werden mich doch nicht wirklich verdächtigen, oder? Ich meine, wer will schon so einen dummen Diamanten haben!

Zurückbleiben! Lasst den Jungen machen!
Ein Handgriff – und das finstere Geheimnis ist gelüftet!

Aber... was soll denn das? Nur eine gewöhnliche Halskette?

Die kenne ich! An der Kette war mein Diamant befestigt!
Das beweist, dass er der Dieb ist!

Bestimmt trägt er den Diamanten bei sich!

Nehmt den Mann fest!

Aber das geht doch nicht! Ich bin Pfadfinder! Ich gehöre zu den Guten!

Sie können mich doch nicht einfach verhaften!
Wir werden es jedenfalls versuchen!

Haltet ihn! Ich dulde keine frei laufenden Ganoven auf meinem Schiff!
Manchmal denke ich, ich bin das geborene Opfer!

Hach, mir wird ganz schwach, Papa! Bitte bring mich in meine Kabine.
Sofort, mein Kind!
Was meint ihr, Brüder? Hier riecht was... aber nicht nach frischer Seeluft!

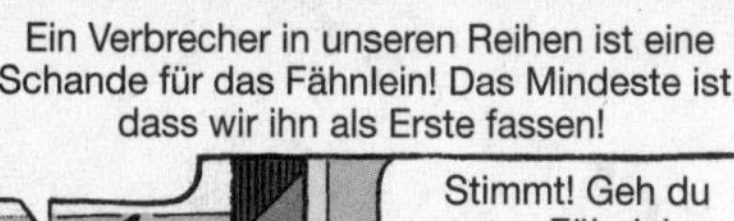

Ein Verbrecher in unseren Reihen ist eine Schande für das Fähnlein! Das Mindeste ist, dass wir ihn als Erste fassen!
Stimmt! Geh du voran, Fähnleinfachführer Patzlaf!

Wer sonst. Und ich werde euch lobend erwähnen, wenn ich das Verdienstkreuz für Verhaftungen entgegennehme!
Das ist sehr großzügig von dir!

So was nennt man wohl Massenhysterie.
Tja, Patzlaf hat den Haufen fest im Griff, das muss man ihm lassen.
Die glauben ihm wirklich jedes Wort.

Die vielleicht. Wir wissen, dass Onkel Donald kein Dieb ist!
Natürlich nicht! Bloß weil er eine Flasche Blubberlutsch unter seinem Kopfkissen versteckt hat...

Warte! Hatte nicht der Baron in dem Moment einen Blubberlutsch in der Hand, als er bemerkt hat, dass der Diamant weg ist?
Du meinst, einen Blubberlutsch unter dem Kissen, einen in der Hand...

...das müssen noch lange nicht zwei sein?
Das ist immerhin einen Gedanken wert, Männer!
Schlage vor, wir gehen der Sache auf den Grund!

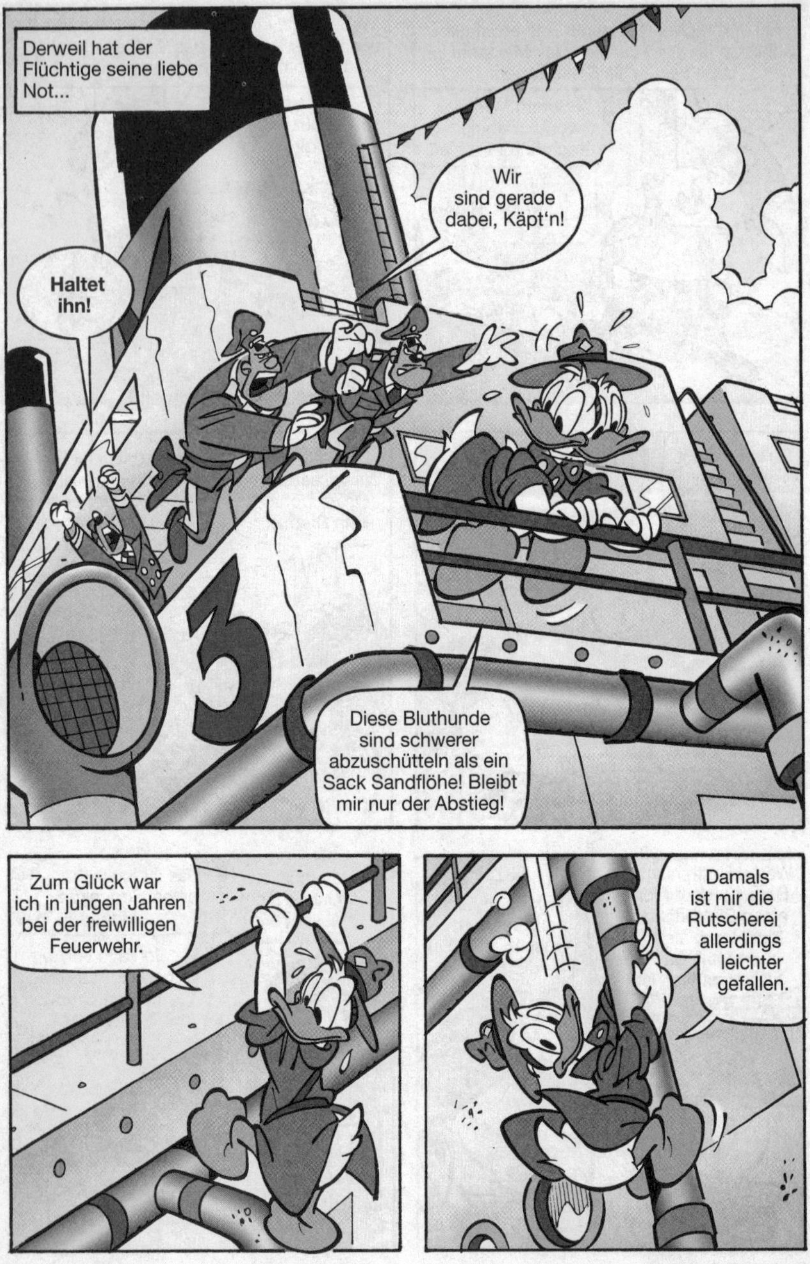

Derweil hat der Flüchtige seine liebe Not...

Haltet ihn!

Wir sind gerade dabei, Käpt'n!

Diese Bluthunde sind schwerer abzuschütteln als ein Sack Sandflöhe! Bleibt mir nur der Abstieg!

Trotzdem hab ich der Meute ein Schnippchen geschlagen und kann mich in Ruhe aus dem Staub machen.
Dort ist er! Eine Schande für unsere weltumspannende Organisation! **Ihm nach!**

Ups! Manchmal frage ich mich, ob derart blinder Gehorsam für Minderjährige wirklich gesund ist.
Schnappt ihn euch! **Keuch!** Keine Gnade!
Zu Befehl, Fähnleinfach-führer Patzlaf!

Schneller, Männer! Es wäre eine peinliche Blamage, wenn ihn die Pfadfinder vor uns am Schlafittchen kriegen würden!
Geben Sie auf! Sie haben nicht die geringste Chance, sich hier an Bord unsichtbar zu machen!

Er hat recht! Ich muss mir schnellstens etwas einfallen lassen, um den Mob von mir abzulenken!

Der Deckstuhl! Hmm... ziemlich schwer, das gute Stück. Das bringt mich auf eine meiner seltenen, dafür aber genialen Ideen!

Ich halte das nicht mehr aus! Gehetzt wie ein Tier! Es gibt nur einen Ausweg!

Und ab dafür.

PLATSCH!
He! Was hat denn da so heftig geplatscht?
Für mein hinlänglich geschultes Ohr hörte sich das verdächtig nach „Mann über Bord“ an!

Jetzt heißt es, sich bedeckt halten und hoffen, dass sie den Köder schlucken.
Das kam von dort drüben!

Anstatt sich der Gerichtsbarkeit zu stellen, hat er den Weg ins Wasser gewählt!
Die Kurzschluss-handlung einer zerrissenen Seele!

Wir sind Hunderte Seemeilen vom nächsten Land entfernt, und in den Gewässern hier wimmelt es von Haien.
Dann ist er dem Untergang geweiht. Und ich hab ihn hineingetrieben in meinem sturen Versuch, der Gerechtigkeit zum Sieg zu verhelfen!

Zur selben Zeit...
Falls dieser fadenscheinige Fürstenverschnitt ein faules Ding dreht, finden wir's raus.
Halt ja gut fest! Ich hab keine Lust, als Fischfutter zu enden!
Ich auch nicht!

Dieser Diamant ist alles, was von unserem Familienvermögen noch übrig geblieben ist.
Ohne ihn sind wir mittellos.

Aber dank dieses gutgläubigen Leichtmatrosen ändert sich das bald. Der hat mir die Hochzeit mit dem Herzog doch tatsächlich abgekauft.
Dabei war es eine glatte Lüge, um den Burschen auf den Leim zu locken.

Und ganz nach Plan kassiert er bald ein paar Jahre Knast für den vermeintlichen Raub des Diamanten...
...während wir die Versicherungssumme einsacken und wieder reich sind!

Mehr muss ich nicht hören. Zieh uns hoch, Track!

Jetzt müssen wir Onkel Donald finden und einen Weg, um das Komplott auffliegen zu lassen!
Obacht, Brüder! Da kommt Patzlaf mit dem Rest der Fehlgeleiteten!
Die sehen aus, als hätt's ihnen mächtig den Hafer verhagelt.

Was habt ihr? Was ist denn passiert, Patzlaf?
Euer Onkel ist über Bord gesprungen! Die Verzweiflung des Verfolgten. Ach, es ist furchtbar.

Was du nicht sagst.
Und nur, weil ich ihn ertappt habe.

Wir gehen in die Bar und ersäufen unsere Schuldgefühle in Blubberlutsch. Mir nach, Männer.
Na, dann lasst euch nicht aufhalten!

Pah! Der hat doch keine Ahnung. Onkel Donald würde niemals freiwillig ins Wasser gehen.
Nicht mal unfreiwillig.

Was der schon für einen Aufstand macht, bis man ihn in der Badewanne hat!

Ich wette, ich weiß, wo er sich vor dem Mob verkrochen hat, Brüder.
Klar! Da, wo sich die blinden Passagiere in den Filmen immer verkriechen!

Keine Angst, Onkel Donald, wir sind's nur! Alles in Ordnung?

Bin ich froh, euch zu sehen, Jungs! Schnell, helft mir raus aus der Röhre, ich kann mich kaum noch halten!

Belinda und der Baron haben den Diamanten noch!
Sie wollen die Versicherung schröpfen und du sollst die Zeche zahlen!

Kanonenfutter für anderer Leute Kohle, wie? Aber das können sie sich abschmin-ken!
Was hast du vor, Onkel Donald?

Ich hab schon eine hübsche kleine und gemeine Idee. Nimm den Schlauch und spritz mich tüchtig nass, Tick!
Wenn du meinst...

Und weiter?
Zupft Seetang von der Ankerkette und dekoriert mich mit dem Zeug wie einen Weihnachts-baum!

Zufrieden?
Verrätst du uns jetzt, was das werden soll?
Eine Überraschung für Belinda und den Baron. Sorgt dafür, dass sie von meinem „schrecklichen Schicksal“ erfahren. Und weiht den Käpt'n ein!

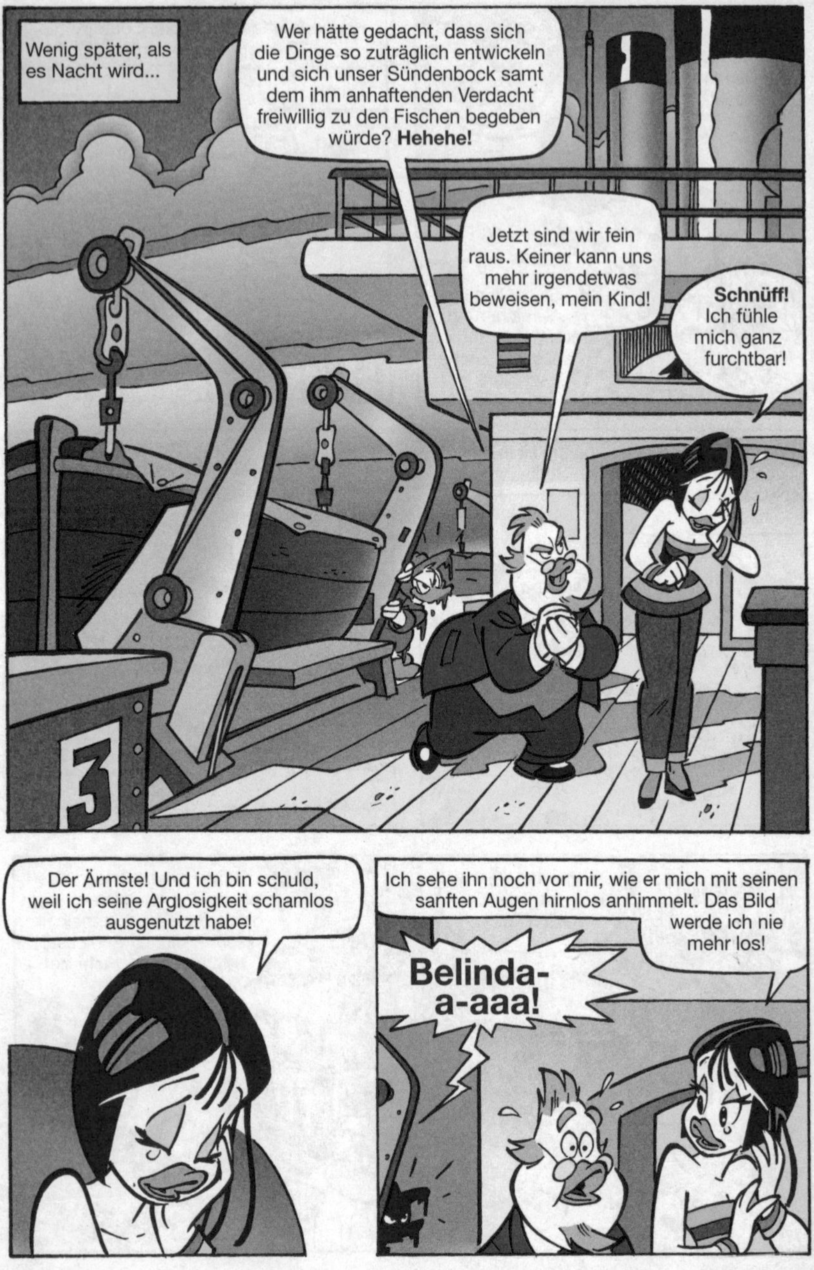

Wenig später, als es Nacht wird...

Wer hätte gedacht, dass sich die Dinge so zuträglich entwickeln und sich unser Sündenbock samt dem ihm anhaftenden Verdacht freiwillig zu den Fischen begeben würde? **Hehehe!**

Jetzt sind wir fein raus. Keiner kann uns mehr irgendetwas beweisen, mein Kind!

Schnüff! Ich fühle mich ganz furchtbar!

Der Ärmste! Und ich bin schuld, weil ich seine Arglosigkeit schamlos ausgenutzt habe!

Warum hast du mir das angeta-a-aaan?
Kreisch! Da! Sein Geist ist...

...dem feuchten Grab entstiegen, um mich zu bestrafen!
Unsinn! Geister gibt es nicht!

Wa-aaarum nur? Wa-a-aaarum?

Es tut mir leid! Bitte verschone mich! Nimm den Diamanten, ich will ihn nicht mehr!
Belinda! Was tust du da?

Haben Sie genug gehört, Käpt'n?
Absolut! Vorwärts, Männer! Verhaftet das saubere Pärchen!
Ende der Fahnenstange, Baron!

Du bist gar kein Geist? So eine Gemeinheit! Wie kannst du es wagen, quicklebendig zu sein, du...
Sperrt sie in die Kabine, bis wir im Hafen sind.
Aha! Patzlaf und seine Getreuen! Nicht gerade aufrecht, möchte man meinen.

Blubberlutsch ersäuft eben keine Sorgen. Die können schwimmen.
Herr Duck?! So-sollten Sie nicht am Grund der See ruhen, wie es sich für Ertrunkene gehört?

Wegen Ihnen hab ich mich zum Narren gemacht! Warten Sie, bis ich das meinem Papa erzähle!

Den Job in der Fabrik können Sie vergessen!
Schert mich wenig! Und jetzt geh mir aus den Augen, Fähnleinfachfiesling Patzlaf!

Als das Schiff endlich wieder Entenhausen erreicht hat, erstattet Patzlaf seinem Vater Bericht...
...und wegen ihm waren alle an Bord in heller Aufregung! Er ist unberechenbar, aufbrausend und würde als Angestellter den ganzen Betrieb durcheinanderwürfeln!
Pah! Machen Sie sich mal keinen Kopf, Herr Pummel! Ich verzichte freiwillig auf den Job in Ihrer Matratzenfabrik!

Unfug, Herr Duck! Ich kenne meinen Patzlaf und weiß wohl, wie sehr er einem auf den Senkel gehen kann.

Ich spreche Ihnen meine Hochachtung aus, dass Sie sich von ihm nicht haben unterkriegen lassen!
Ta-tatsächlich?

Äh, Herr Pummel... heißt das etwa...
O ja, euer Onkel kann bei mir arbeiten – genau wie abgemacht!

Oh... vielen Dank!
Onkel Donald wird sich bestimmt auch noch bei Ihnen bedanken, sobald er wieder dazu in der Lage ist!

Und deshalb...
PUMMELS PFLEGELIEGEN
MATRATZENLAGER
Wie sich alles findet! Patzlaf ist vom Fähnlein unbefristet zum Fruchtfliegen-fang abkomman-diert...
...und Onkel Donald hat einen neuen, wenn auch stressigen Job!
Ja, der wird heute Abend gut geschafft sein von der stundenlangen Matratzenschlepperei!
Halb so wild, Jungs! Das hier ist deutlich weniger anstrengend, als für euer Fähnlein den Oberstwaldwichtel zu geben!
ENDE

Andreas Pihl (Story), **Gonzalez** (Zeichnungen)

Hallo, meine Damen!
Was gibt's denn?
Tante Bromelia und ich brauchen deine Hilfe, Micky!

Man erklärt, warum...
Hier mache ich meine berühmten Bonbons!
Ver-stehe!
Sie waren immer sehr beliebt!

Du sagst das, als wäre das schlecht!
Schlimmer!
Es ist furchtbar!

Beruhige dich doch! Denk an deine angegriffenen Nerven!

Sie hat sich zum Wohle ihrer Kundschaft vollkommen veraus-gabt!
Ihr hättet besser einen Arzt rufen sollen!

„Wir waren bereits beim Doktor..."
Sie sind ein Nervenbündel, meine Liebe!
Wenn Sie nicht bald ausspannen, ist Ihnen nicht mehr zu helfen!

Du musst dich um die Manufaktur kümmern, während wir zur Kur sind!

Das geht nicht! Ich habe einige Motorrad-touren geplant und...

Doch nur zehn Minuten später...
In diesem Buch steht alles, was du wissen musst, um Bonbons herzustellen!
So? Aha! Äh... ja, fein!
Da ist noch etwas! Ich habe jemanden eingestellt, der dir helfen wird! Ein junger Mann mit einer etwas...
...schwierigen Vergangenheit! Ich bin nun mal der Meinung, dass jeder eine zweite Chance verdient!
TAXI
1757
„Versuch bitte, nett zu ihm zu sein!“
Puh! Eine Woche harte Arbeit! Das will mir gar nicht schmecken!
Ich frage mich, wann der Gehilfe wohl hier auftaucht.

WEOWEOWEO!
Nanu? Eine Polizeisirene!
Aber hier ist doch niemand!
Hallo, du Schnüffler!
Klingt wie... **ack!**
Kater Karlo!
Was hast du hier zu suchen? Wo ist die Bonbontante?
Was soll das?
Soweit ich weiß, soll er eine Stelle in Bromelias Bonbon-Manufaktur antreten!
Das soll wohl ein Scherz sein? Ich habe ihn doch erst vor einem Monat hinter Gitter gebracht!

Sicher, Herr Maus! Aber dass er hier arbeiten soll, ist amtlich!
Und Ämter belieben nun mal nicht zu scherzen! Bitte unterschreiben Sie hier!
Geschieht das gerade wirklich?
Du bist also der junge Mann mit Problemen?
Ja, schätze, der bin ich!
Daher trägt er eine elektronische Fußfessel mit eingebautem Sender!
Was soll die bringen?
So wissen wir immer, wo er ist! Und wenn er zu türmen versucht, sind wir sofort da!
Wir verschwinden dann mal wieder! Viel Spaß...
...bei der Arbeit!
Aber... aber...

Komm schon! Lass uns das Beste draus machen!
Erst erklärst du mir mal, was das alles soll!
Ich bereue mein früheres Leben ganz arg!
Lass den Quatsch! Ich will wissen, was du vorhast!
Nun, dank dir hat man mich vor ein paar Wochen geschnappt! Du erinnerst dich doch?
Immerhin wolltest du mein Haus...
...anzünden! Schon vergessen?
Egal! Der Richter meinte: Entweder 765 Jahre Knast – oder ich werde endlich ehrlich!
Lach-haft!
Könntest du mir nicht eine nette Beurteilung schreiben?
Wie war das?

Na, über unsere Zusammenarbeit! Wenn die gut ist, lassen sie mich nämlich gehen!
Na ja, warten wir erst mal ab, wie es mit uns so läuft!
Später...
Das ist schlimmer als Knast!
Hör auf zu jammern, Karlo!
3487

Ich finde diese Hüte ja auch reichlich albern!
Vor allem diese dämlichen Herzchen!

Denk dran, dass wir nett und höflich zu den Kunden sein müssen!

Selbst dann, wenn es verwöhnte Schnösel sind!
Mann! Ist das ein Bonzen-bunker!

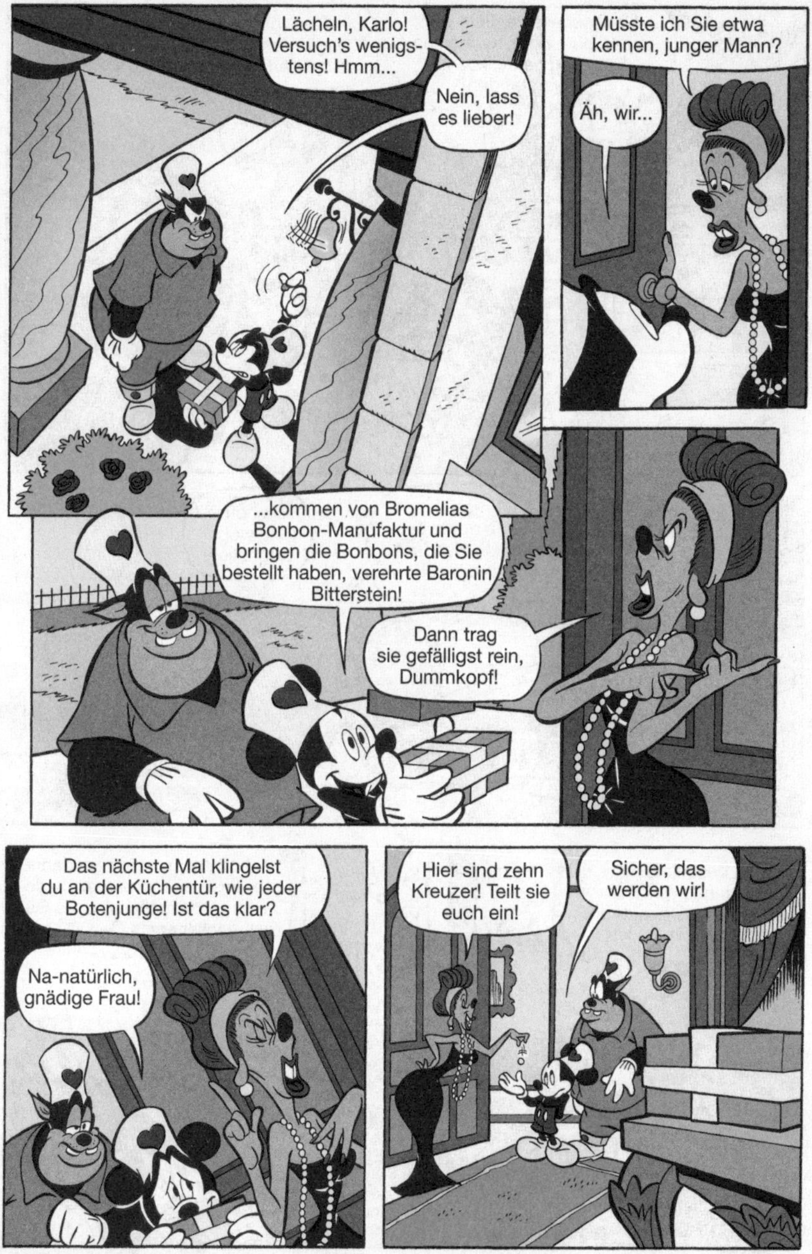

Lächeln, Karlo! Versuch's wenigstens! Hmm...
Nein, lass es lieber!
Müsste ich Sie etwa kennen, junger Mann?
Äh, wir...
...kommen von Bromelias Bonbon-Manufaktur und bringen die Bonbons, die Sie bestellt haben, verehrte Baronin Bitterstein!
Dann trag sie gefälligst rein, Dummkopf!

Und vergesst ja nicht die Spezialbonbons für meinen Empfang heute Abend! Verstanden?
Das würden wir nie wagen! Ich werde mich selbst darum kümmern!

Ich hoffe doch, der nächste Kunde ist ein wenig netter!
Da hoffst du wohl vergeblich!

Ich bestelle diese Bonbons nur, weil Baronin Bitterstein so exorbitant entzückt davon ist!

So folgt Kunde auf Kunde...
Ich bin schon sehr gespannt, ob diese Bonbons den ausgefeilten Ansprüchen meiner Geschmacksnerven Genüge tun!
Oh, Sie werden sie sicher genießen!

SASCHA SUCSHOLZ
Schluss! Aus! Ich hab die Schnauze voll von diesen Snobs!
Mich begeistern sie auch nicht, aber wir müssen die Bonbons nun mal ausliefern!
Dann tu dir keinen Zwang an, aber ohne mich!
Und Tante Bromelia? Die verlässt sich auf uns!
Pah! Ist mir schnurz!
Und die Beurteilung, die dir den Knast ersparen soll, ist dir auch egal?
Du hast gewonnen! Aber bild dir ja nichts drauf ein!
Tu ich nicht! Los, bringen wir die Sache hinter uns!
3487

Endlich ist es geschafft...
BROMELIAS BONBON-MANUFAKTUR
Kannst du schon mal die Bonbons für Baronin Bitterstein einpacken, Karlo?
Klar doch!

Das wird eine lange Woche!

Aber da muss ich durch, wenn ich die Fußfessel und den Schnüffler los-werden will!

Mann, ist das ätzend! Tonnen von Bonbons... und dann auch noch Kater Karlo!

500 Kilometer entfernt...
Ich kann's dir nachfühlen! Aber du musst eine gute Beurteilung schreiben...

...sonst regt sich Tante Bromelia nur wieder schrecklich auf!

Und Kater Karlo könnte es ja wirklich mal ernst meinen!

Ich lach mich schlapp! Aber ich werd mich bei Minni irgendwann dafür bedanken!

Minni hat sicher recht! Schließlich hat jeder eine zweite Chance verdient!

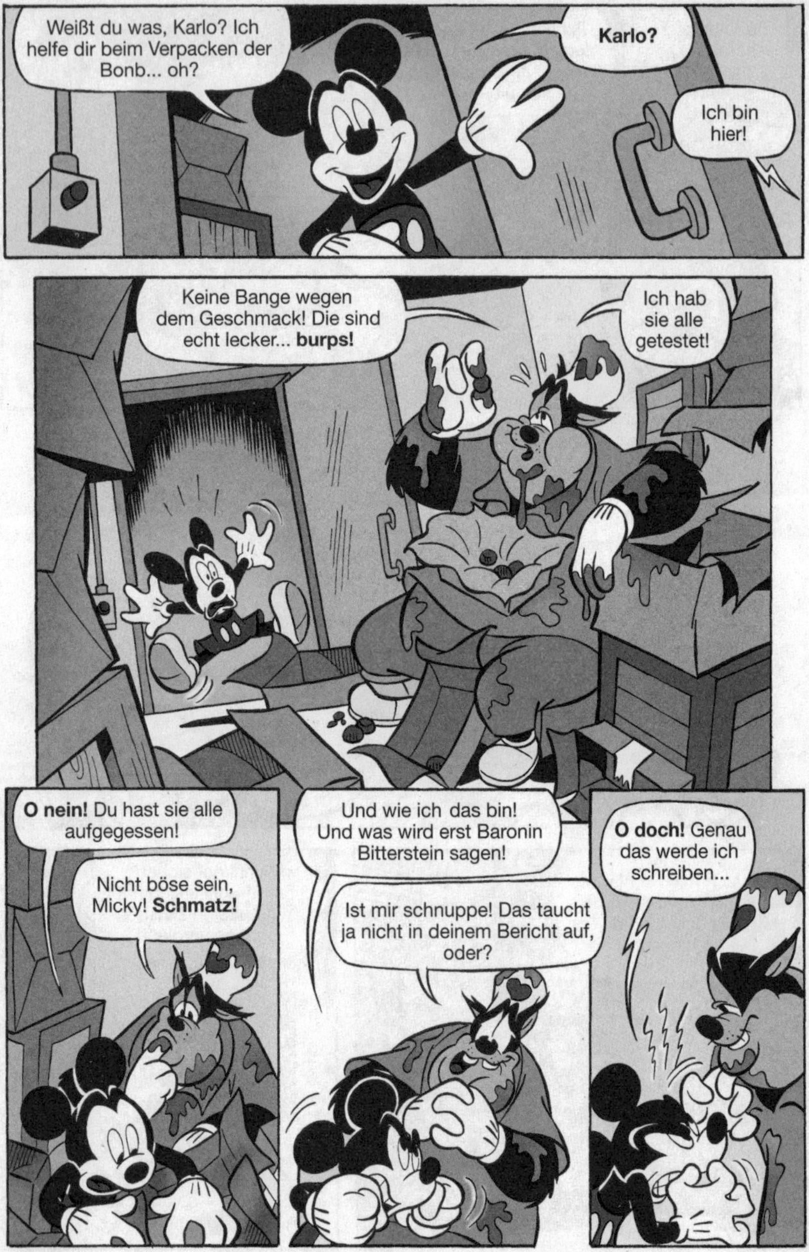

Keine Bange wegen dem Geschmack! Die sind echt lecker... **burps!**

Ich hab sie alle getestet!

O nein! Du hast sie alle aufgegessen!

Nicht böse sein, Micky! **Schmatz!**

Und wie ich das bin! Und was wird erst Baronin Bitterstein sagen!

Ist mir schnuppe! Das taucht ja nicht in deinem Bericht auf, oder?

O doch! Genau das werde ich schreiben...

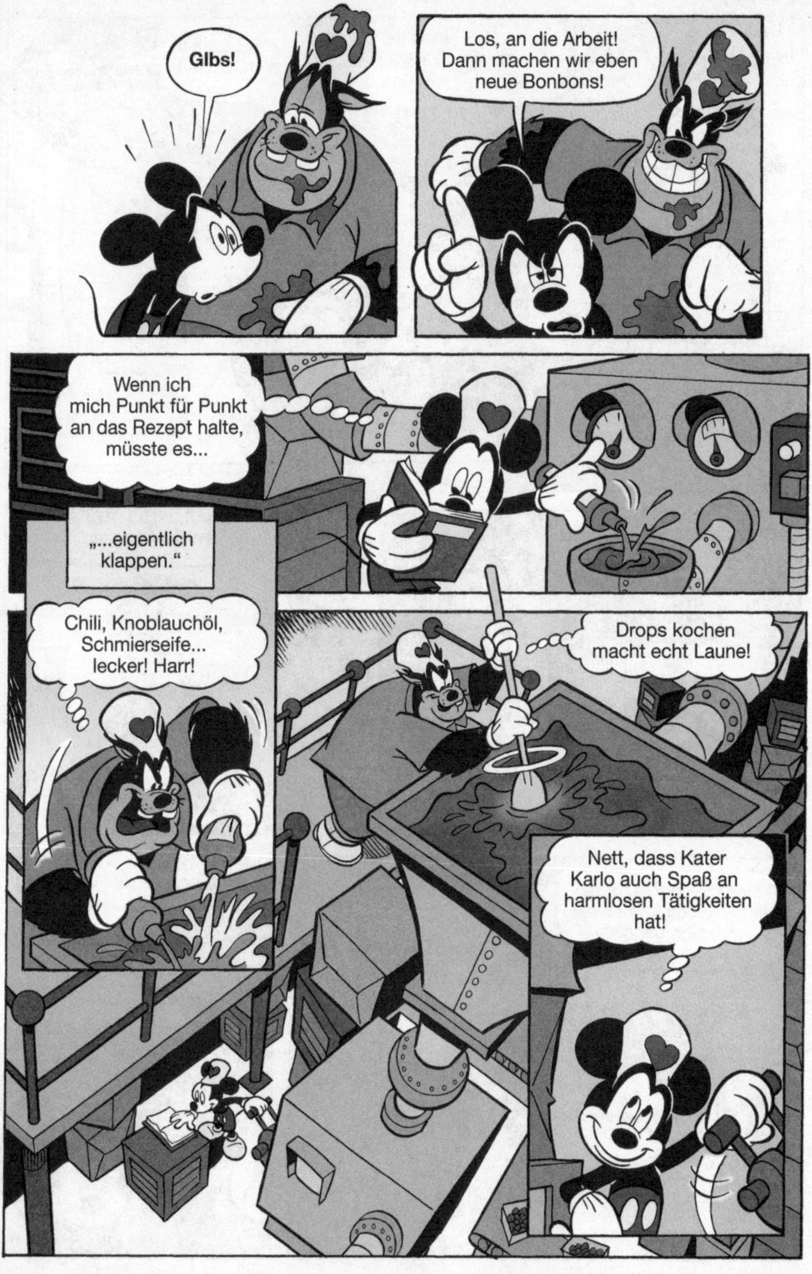

Wenn ich mich Punkt für Punkt an das Rezept halte, müsste es...

„...eigentlich klappen.“

Chili, Knoblauchöl, Schmierseife... lecker! Harr!

Drops kochen macht echt Laune!

Nett, dass Kater Karlo auch Spaß an harmlosen Tätigkeiten hat!

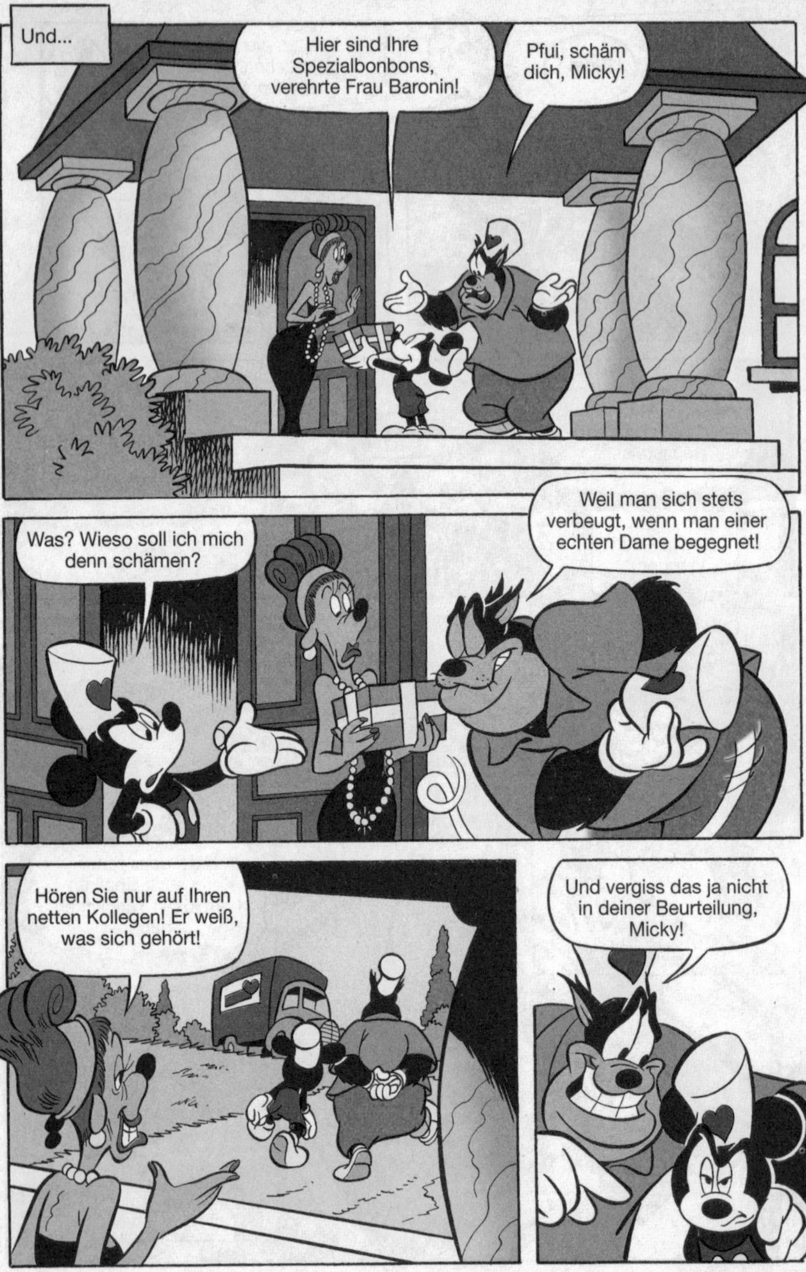

Und...

Hier sind Ihre Spezialbonbons, verehrte Frau Baronin!

Pfui, schäm dich, Micky!

Was? Wieso soll ich mich denn schämen?

Weil man sich stets verbeugt, wenn man einer echten Dame begegnet!

Wieder zurück...
Hier, ich hab dir ein Bonbon aufgehoben!
Oh! Vielen Dank!
Hehe! Ich hab das Rezept selbst entwickelt! Na, wie schmeckt's?
Spotz! Pfui Spinne!
Bäh! Stammt das etwa aus der Lieferung an die Baronin?
Ja, ich hab sie etwas aufgepeppt!
„Deine waren viel zu fad!"
Würg!
Argh! Das reinste Gift!
Spotz!
Äcks!
Wieso hast du das getan?
Weil ich weiß, dass du trotzdem einen guten Bericht über mich schreiben musst!

Auch wenn ich dich von oben bis unten mit Karamell überziehe! **Harr! Harr!**
SCHLORPS!
Harr! Harr! Du siehst aus wie ein Lutscher!
Was auch immer im Bericht stehen wird – jetzt bin ich sauer!
Dabei heißt es immer, Rache ist süß!
Komm nur, ich mach dich zu Mausespeck!
Argh!
BATSCH!
WUMMS!
BONG!
KLONG!
Urgh!

In diesem Augenblick, vor der Bonbon-Manufaktur...
Ich fühle mich wirklich viel besser!
Freut mich! Dann war deine Entscheidung richtig, Tante Bromelia!
Ich hoffe nur, Micky und Kater Karlo sind klargekommen!
Ach, du große Güte!
Schluck! Äh... ha-hallo, Minni!
Micky! Was habt ihr nur angerichtet?!
Na ja, im Grunde ging es um die Bonbons für Baronin Bitterstein...
Nur gut, dass Tante Bromelia beschlossen hat, das alles hier zu verkaufen!

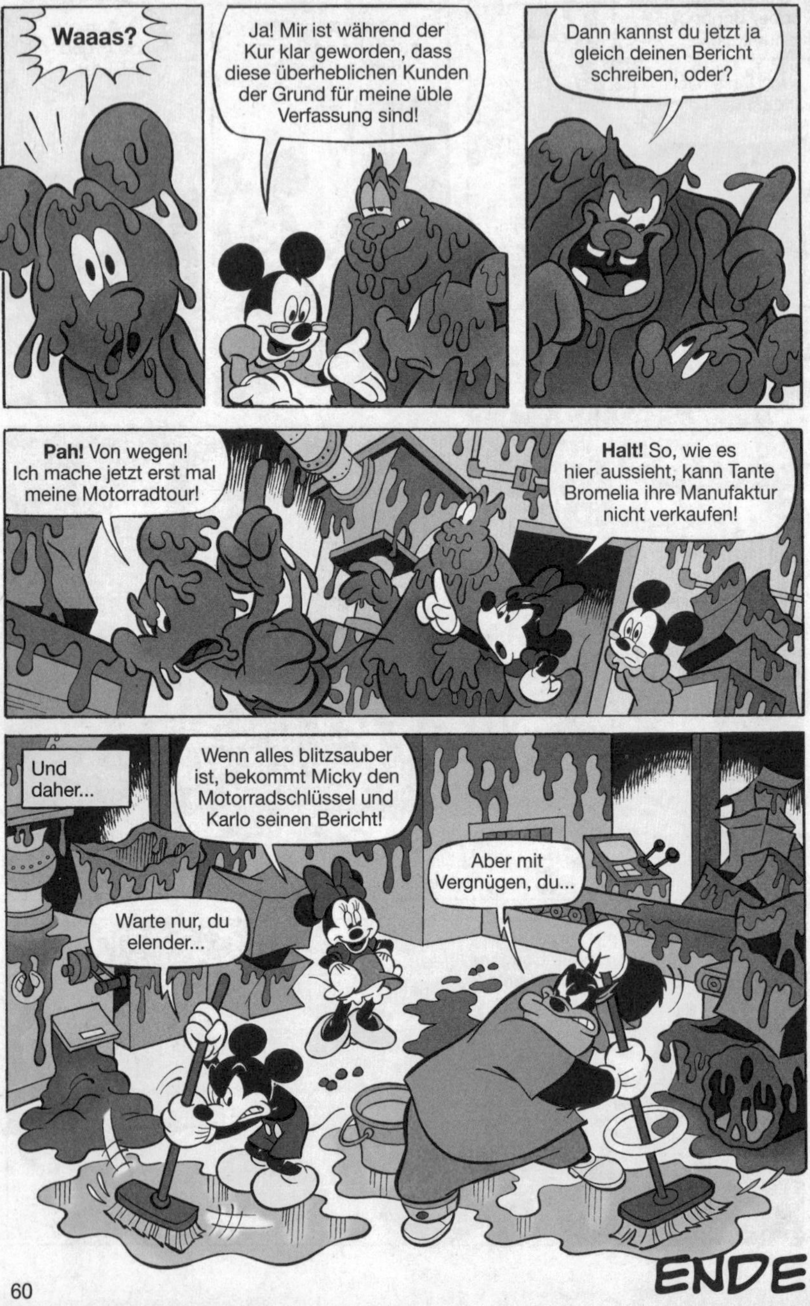

Und daher...

Wenn alles blitzsauber ist, bekommt Micky den Motorradschlüssel und Karlo seinen Bericht!

Warte nur, du elender...

Aber mit Vergnügen, du...

ENDE

Stefano Ambrosio (Story), **Lara Molinari** (Zeichnungen)

Du denkst immer nur an dein Vergnügen! Du wirst nie ein ordentlicher Geschäftsmann!
Und jetzt geh gefälligst! Ich muss arbeiten und meine Gewinne maximieren!
KLICK!
Huch!
Autsch!
SCHRAPP!
Fassen Sie sich kurz, meine Herren! Zeit ist Geld!
Äh... wir beeilen uns ja, Ihnen unser Projekt vorzutragen!
A-aber könnten Sie bitte den Notausgang für unerwünschte Besucher schließen!?
KLACK!

Wir haben hier die Pläne für die neue Entenhausener Umgehungsstraße!
Ja, hehe! Die Kosten sind nicht sehr hoch und...
DD

...an diesem Punkt führen die Abfahrten alle direkt zu Ihrem neuen Einkaufszentrum!
DUCK ZENTRUM

Großartig! Damit kriege ich nicht nur den Zuschlag der Stadt für das kostengünstigste Angebot...

...die Leute werden alle bei mir einkaufen, weil es am schnellsten geht!
TING!
PLING!
DILING!

Äh... ein Problem gibt es da leider noch...
Stöhn! Jetzt sind wir gleich reif für die Falltür!
PLING!

Einer der Stützpfeiler für die Hochstraße muss unbedingt... hierhin!
!
Hrmpf! Brummel! Das könnte in der Tat das ganze Projekt zum Scheitern bringen!
Die Zustimmung kriege ich nie, weil das Haus auf dem Grundstück...
...bewohnt ist! Es sei denn...
POFF!
Alles klar! Halten Sie Ihre Bulldozer bereit! Wir räumen das Grundstück heute Nacht!
Hurra! In Ordnung, Herr Duck!

Später...
Es gibt leckere Schmalzkringel, Jungs!
Hurra! Das ist unsere Leibspeise!
Irgendwie muss ich sie ja wieder in Stimmung bringen! Sie waren so enttäuscht wegen des ausgefallenen Zeltlagers!
DING! DONG!
Och nö! Nicht ausgerechnet jetzt!
Du!? Willst du etwa mitessen? Die Antwort lautet: **Nein!**
Geh dahin, wo man dir was für deinen blöden Taler gibt!
Ups!
KLACK!

Siehst du die weiße Fahne nicht, Donald? Ich will dich um Verzeihung bitten!
Grmpf!

Ich habe mich ziemlich schofel benommen! Und das, obwohl die Kinder...

...doch quasi mein eigen Fleisch und Blut sind!

Es wäre nicht recht, sie von ihrem Sommervergnügen abzuhalten! Selbst ich habe mir ab und zu mal einen freien Tag genehmigt... damals in Klondike!

Heißt das etwa, du gibst mir die 100 Taler für das Zeltlager?
Natürlich! Wenn du...

...dich im Gegenzug dazu verpflichtest, sechs Monate lang Münzen zu polieren! Unterschreib das!
VERTRAG
ICH VERPFLICHTE MICH, SECHS MONATE LANG MÜNZEN ZU POLIEREN
UNTERSCHRIFT

Sechs Monate? Stöhn! Ich tu's... aber wirklich nur für die Kinder!
KRITZEL!

In Ordnung, hier hast du das Geld!
Jahuuu!

Der Rest des Tages vergeht damit, alles Nötige für das Zeltlager zusammenzupacken...

GRUMPEL! KRACK!

WRUMM! BROMM!
Chr... hm?

BRUMPEL!
Was kann das denn sein, Onkel Donald?

Huch! Ich fasse es nicht! Seht mal, da draußen!

Das... das darf doch nicht wahr sein!

BUMM!
BUMM!
Aufmachen, Donald! Und zwar sofort! Hast du gehört?!

Was soll das? Du weckst mich mitten in der Nacht, stehst mit deinen Bulldozern vor meinem Haus und...

Falsch! Wir sprechen von **meinem** Haus! Schließlich wohnst du hier zur Miete!

VERTRAG
ICH VERPFLICHTE MICH, SECHS MONATE LANG MÜNZEN ZU POLIEREN UND ZIEHE IN DAS HAUS UM, DAS DAGOBERT DUCK MIR ZUR VERFÜGUNG STELLT.
UNTERSCHRIFT
Donald

Du hast den Vertrag unterschrieben! Also musst du das Haus räumen!
Und zwar sofort!

Für läppische 100 Taler würde ich so einen Vertrag doch niemals unterschreiben!

Hast du aber! Und das beweist mal wieder, dass ich recht hatte! Du bist eben kein Geschäftsmann!

Aber keine Sorge, ich habe an alles gedacht...
„...und euch ein schönes neues Zuhause besorgt.“
„In einer Luxuswohnanlage am Stadtrand!“
?!
Das nennt der eine Luxuswohnanlage? Das sieht aus wie eine Legebatterie für Hühner!
Hier steht ja noch nicht mal ein Baum! **Seufz!**

Ahoi! Wen haben wir denn da? Einen Matrosen...
WRO... !

...mit seiner Badewanne!
Hust! Hust! Spotz!
WROMM!

Hmpf! Ich bin kein Matrose! Ich heiße Donald Duck! Und die Badewanne ist mein Auto!

Das ist ein echter Oldtimer! Klar?
Uahua! Klar! So sieht er auch aus!

Mit so einer Schüssel würde ich nicht mal nachts herumfahren!

Also dann! Man sieht sich, Seemann!
Hust! Spotz!
WROMM!

Grrr!
Dem werd ich...
Ganz ruhig, Onkel Donald! Das war nur ein harmloser Angeber!
Grummel! Hoffentlich ist es bald Abend! Dann verwandle ich mich in Phantomias und...
O nein! Ich hab zwar ein Ersatzkostüm in meiner Mütze, aber...
...die Waffen und alles Übrige liegen im Geheimversteck unter meinem Haus!
Ich muss unbedingt verhindern, dass Bulldozer und Bagger alles aufwühlen und das Versteck entdecken!

Daher...
Ich glaube, da kann ich dir helfen, Phantomias!
DANIEL DÜSENTRIEB ERFINDER

Hier! **Gähn!** Mit diesem Gerät kannst du deine Geheim-waffen unauffällig beiseiteschaffen!

Das ist ein Tarnungsspray! Wenn du auf das rote Ende drückst, wird das Objekt sofort unsichtbar!
ZISCH!

Und mit dem grünen Ende wird es wieder sichtbar! Ist ganz einfach! Siehst du?
ZISCH!

Genial, Herr Ingenieur!
Und hier kannst du ein-stellen...

...ob du das ganze Objekt oder nur bestimmte Teile davon verschwinden lassen willst!
PLASTIK
TINTE

Herr Duck hat das vor einiger Zeit bei mir in Auftrag gegeben! Es war wohl als Karnevalsscherz gedacht!
ANIEL DÜSENTRIEB
ERFINDER
Vielen Dank, Herr Düsentrieb!

Hm! Interessant zu erfahren, dass Onkel Dagobert dieses Spray kennt, mit dem man...
DANIEL DÜSENTRI

...Dinge verschwinden und wieder erscheinen lassen kann!
PLASTIK
TINTE
METALL

So ist also die Klausel mit dem Zwangsumzug in den Vertrag gekommen! Dieser Gauner!

Na, dem alten Geier werde ich zeigen, was es heißt, getäuscht zu werden!

Dieser scheinheilige Patron! Schiebt die Ferien der Kinder vor, um uns aus unserer Wohnung zu vertreiben!

Als Erstes muss ich herausfinden, warum er uns unbedingt aus dem Haus haben will!

Sobald meine Geheimausrüstung geborgen ist, mache ich einen Besuch im Geldspeicher!

Seufz! Das schöne Haus! Nun ist es unbewohnbar!

Zittere, Onkel Dagobert! Der Tag der Rache ist nah!

Am nächsten Morgen...

Keuch! Schnauf! Ich bräuchte ein Spray, das meine Phantomias-Ausrüstung nicht nur unsichtbar, sondern auch noch leichter macht!

Uahua! Sieh mal einer an! Unser Leichtmatrose spielt also gerade den Hafenarbeiter?
WROMM!

Bist du eine lahme Ente! Da stöhnt und keucht er, obwohl der Karton leer ist!
Keuch!

Her damit!
Nein! Nicht!

!
SPROTZ!
BOFF!

Kreisch! O nein! Entsetzlich! Mein schöner neuer Roller!

Uff! Vor den Kindern kann ich mich nicht prügeln! Das wäre ein schlechtes Beispiel!

Äh... tut mir leid wegen des Rollers! Wenn Sie mein Auto in Ruhe lassen, mache ich ihn wieder sauber!

Zwei Wochen lang! Klar?
Grrr... von mir aus!

Und so...
Grmpf! Wenn ich mit Onkel Dagobert fertig bin, ist dieser Fatzke an der Reihe!
SCHRUBB!
SCHRABB!
WISCH!
GLITZ

Dann endlich ist es Nacht – und es schlägt die Stunde des Phantomias...

BRZZ!
Hehe! Da braucht es schon handfestere Dinge als eine Alarmanlage, um Phantomias aufzuhalten!

Mit meiner Röntgenbrille kann ich sogar verschlossene Briefe lesen!
POST-AUSGANG
DD

So ist das also! Onkel Dagobert will den Auftrag für die neue Umgehungsstraße haben, aber sein Projekt hat einen kleinen...
POST-AUSGANG

...aber feinen Schwachpunkt: Sein Plan setzt den Abbruch meines Hauses voraus, weil an dieser Stelle ein Stützpfeiler errichtet werden muss!
HAUS: MIETER DONALD DUCK
STÜTZ-PFEILER FÜR UMGEHUNGS-STRASSE

Also hat er versucht, uns zu vertreiben! Er hat die Klausel eingetragen...

...und sie dann mit diesem Spray vor der Unterschrift unsichtbar gemacht!

Wie sagte der Kerl mit dem Motorroller so treffend? Auge um Auge! **Hehe!**
PLASTIK TINTE METALL
ZISCH!

Am nächsten Morgen...
Ich hab heute keine Zeit, den albernen Roller zu polieren...
21X

...also erledigt das mein Roboter-Double für mich! Keiner wird etwas davon bemerken!

Und jetzt geht's zur Sache!

Unterdessen, im Büro des Bürgermeisters...
RATHAUS
Das Angebot von Herrn Klematis für die Umgehungsstraße liest sich gar nicht so übel! Aber sehen wir nun mal...

...was Sie anzubieten haben, Herr Duck!

Nanu! Soll das ein Scherz sein? Das ist ja ein weißes Blatt Papier!
Wenn Sie kein ernsthaftes Interesse haben, spielen Sie bitte keine Spielchen mit mir!
Grks!
Ich versteh das nicht! Gestern war doch noch alles...
Seufz!
STOMP!
Pah! Schluss jetzt! Der Auftrag geht an Herrn Klematis!
Hehe! Das ist erst der Anfang, mein betrügerischer und hinterhältiger Onkel!
Briep!
RATHAUS

Wie war das!? In allen Briefen, die heute rausgegangen sind, waren nur leere Blätter statt der Verträge?

Ja! Und ständig beschwert sich jemand, dass er verulkt worden sei!

Tut mir leid, aber Sie verlieren Millionen von Talern!
Fieps.

Sehr schön! Und jetzt kommen wir zu Phase zwei meines Plans!

Unterdessen...
Ui! Hast du schon mal so einen blitzblanken Roller gesehen? Gefällt dir der auch?
WISCH!
WISCHEL!
Na klar! Den reißen wir uns unter den Nagel, hehe!

Zisch ab, Junge, oder ich brat dir eins über!
BRZZZ?
Britzel... Verteidigungsprogramm wird gestartet...
BIEP!
Huch!
Ein Überfall! Da klaut einer deinen Roller!
Was?
BAR
Autsch! Aua! Wurgs!
Schnell! Dieser Süßwassermatrose kann sich doch sicher nicht vertei...
Eiei...
Los, hauen wir ab!
PATSCH!

Mann, das war stark! Ab sofort bist du mein Freund!
Brzzz... danke!
Inzwischen...
Seufz!
Na, Herr Duck, wie fühlt es sich an, Opfer der eigenen Intrige geworden zu sein?
Phantomias! Hast du das etwa eingefädelt?
Ja! Nachdem Sie einen fertigen Vertrag manipuliert haben...
...und zwar den mit meinem Freund Donald, habe ich Ihre Verträge auf die gleiche Weise manipuliert!
Aber... das kostet mich Unsummen!
Dafür hat Donald sein geliebtes Zuhause verloren!
BAMM!
Seufz! Na schön! Ich habe verstanden! Ich lasse das Haus wieder aufbauen! Die Straße von Herrn Klematis läuft ja anders!

Ein Anfang, aber
das reicht noch nicht!
Sie müssen... **pst!**
Waaas?

Und so, am
nächsten Tag...
Hurra! Wir
kriegen unser
altes Haus
zurück!
313

Hier hast du den Schlüssel! Ich
habe einen Fehler gemacht! Aber
zum Glück kann man sich mit
Phantomias ja einigen!
313

Tja, so was nennt
sich eben Freundschaft!
He, Seemann! Du haust
doch nicht ab, ohne ordentlich
Adieu zu sagen?

Wo auch immer du hingehst, ich wünsche dir alles Gute!
Weißt du, was? Ich werde dich jeden Tag mit meinem Roller besuchen kommen!
Schluck!
313
Freust du dich auch so, wieder nach Hause zurückzukehren, Onkel Donald?
313
Klar, Kinder, aber das hat noch Zeit!
Wie?
Das Haus muss doch erst wieder aufgebaut werden! Und bis dahin wohnen wir in einem Luxushotel! Auf Onkel Dagoberts Kosten! **Haha!**
Super! Hihihi!
STRANDHOTEL SONNE
SONNEN-STRAND
313
ENDE

Carlo Panaro (Story), **Lorenzo Pastrovicchio** (Zeichnungen)

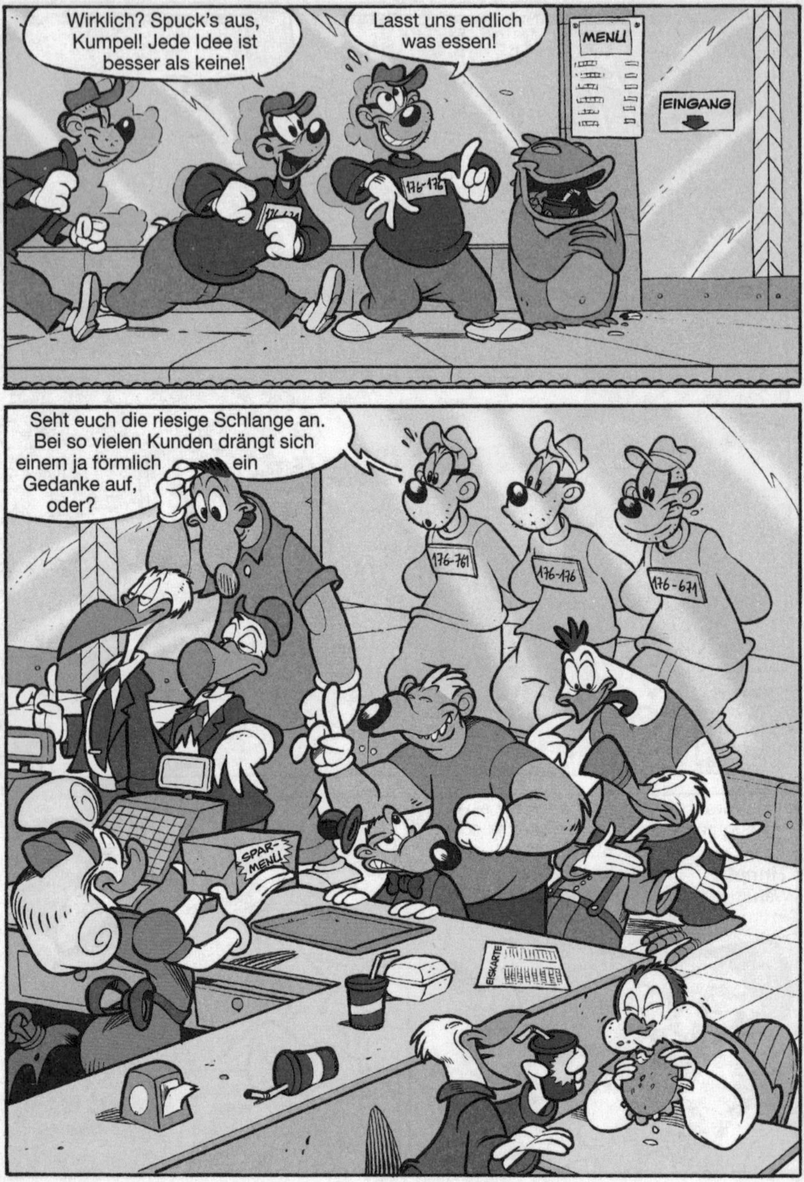

Seht euch die riesige Schlange an. Bei so vielen Kunden drängt sich einem ja förmlich ein Gedanke auf, oder?

176-761
176-176
176-671
SPAR-MENÜ
EISKARTE

Klar, liegt doch auf der Hand! Hier muss das Essen echt lecker sein!
Hmpf!

Wen interessiert denn das Essen, du Knallkopf! Das bedeutet, dass ordentlich was in der Kasse sein muss!!
BAFF!
Utsch!
176-761

In dem Laden hier machen sie mächtig Zaster. Wenn ihr mich fragt, ist das Grund genug, sich hier ein wenig niederzulassen.

Was meint ihr?
Meine Rede! **Hehehe!**
176-761

Kommt schon, da ist sogar noch ein Tisch frei.
176-176

Was darf's sein, die Herren? Haben Sie schon gewählt?
Äh... nein.
176-176
176-761

Schluck!
Japs!
MENU

Ups, das ging ins
Auge! Tut mir leid!
Autsch!
Aua!
MENU

Habt
ihr das auch
bemerkt?
Ja, der Kellner ist Baptist, dem
Butler vom alten Duck, wie aus
dem Gesicht geschnitten.
MENU
176-671
176-176

Leise jetzt,
er bringt uns
gerade das
Essen!

Uack!

KLATSCH!

Jetzt reicht's mir aber, Ernesto! Das bringt das Fass zum Überlaufen!

Gestern hast du Milchshake im ganzen Laden verteilt und erst heute Morgen Ketchup! Das Maß ist voll!

Raus! Ich hab die Nase voll von deiner Schusseligkeit!
A-aber, ich...

Nichts da! Du bist gefeuert!
BOMP!
Autsch!
BAR

Kumpels, ich hab grade eine erstklassige Idee! Ich weiß jetzt, wie wir...
176-761

...in den Geldspeicher von Bertel kommen!
176-761

Und wie?
Ganz einfach. Wir ersetzen Baptist durch diesen Tölpel von Ernesto!
176-671

Los, ihm nach! Er kann noch nicht weit sein!

Da vorn ist er ja!

Hallo, mein Freund. Dürften wir Sie wohl einen Moment stören?
Klar.
Wir mussten gerade alles mit ansehen. Ihr Chef mag sie ganz offenbar nicht, was?
Sieht ganz so aus. Seufz.
Ja, ja, so was kennen wir nur zu gut.
Wir arbeiten auch für jemanden, der uns nicht mag... seit Jahren.
„Ständig schikaniert er uns!“
BOMP!
DD
WEG!
RAUS!
Wir würden ihm gerne Respekt beibringen, aber das geht nur mit Ihrer Hilfe.
Ach?
Sein Butler sieht aus wie Sie. Wir haben einen Plan, aber dazu müssten Sie... bla...

...dann schalten Sie die Diebstahlsicherung aus, damit wir unserem Boss zeigen können, dass er sich auf uns verlassen kann!
TATÜTATA!
POLIZEI
176-761

Ich weiß nicht so recht...
Er glaubt nicht, dass wir anständig sind. Wie sollen wir das beweisen, wenn sein Vermögen nicht in Gefahr ist?

Überredet! Ich werde Ihnen bei Ihrem famosen Streich helfen.
Juhuu! Das ist wunderbar!
813-318

Wissen Sie, er ist schrecklich geizig und egozentrisch, daher möchten wir ihn einfach ein wenig aufrütteln.
176-761
176-176

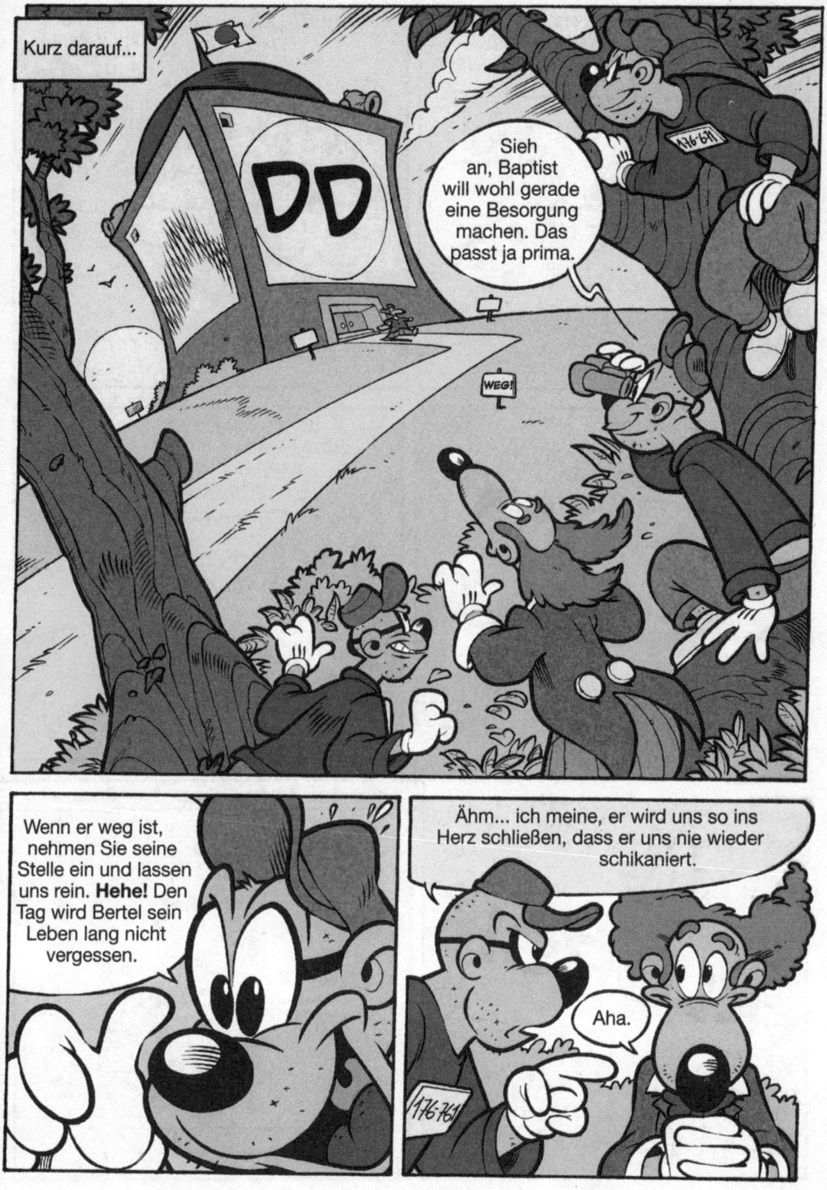

Kurz darauf...

Sieh an, Baptist will wohl gerade eine Besorgung machen. Das passt ja prima.

Wir klauen ihm nämlich erst sein Geld und geben es ihm dann wieder zurück. Das wird ihn von unseren guten Absichten überzeugen.
Klar.
Aha, da kommt Baptist.
Dilim, dim, dim...
Viel Glück, Ernesto! Machen Sie Ihre Sache gut!
SCHUBS!
176-76
So, ich schalte jetzt Baptist aus, damit er uns nicht dazwischenfunkt, wenn Bertel diesen Ernesto reingelassen hat.
KLOPS!
Kurz darauf klingelt Ernesto am Speicher...
Hoffentlich geht alles gut.
DING! DONG!

Baptist! *Wieso sind Sie schon zurück?*
Äh...

...ich hab den Gutschein vergessen, den ich einlösen wollte. Damit bekommen wir das Brot zwei Kreuzer günstiger.

Das ist Ihnen doch immer so wichtig!
WEG!
Das lob ich mir, Baptist! Sie wissen ja, wer den Kreuzer nicht ehrt...

SURRR!

Hurra! Es klappt!
PATSCH!
176-761

Und ab mit unserem Freund. Bertels Vermögen gehört bald uns!
PANZERKNACKER
PK
PK

Dagobert Duck ahnt indessen nichts...
Bitte bringen Sie mir einen Tee.
Aber gern.

Woher kenne ich diesen Herrn nur? Vielleicht aus dem Fernsehen?

Jedenfalls hat er Unmengen von Geld.

Sagen Sie, Baptist, wie oft ist der Teebeutel schon benutzt worden?
Was für eine Frage.

Sie haben recht. Ich weiß ja, dass Sie von Hause aus sparsam sind.

Aaah! Heiß! Passen Sie doch auf!
Du liebe Güte! Hoffentlich habe ich Sie nicht verbrüht!

Halb so schlimm. Der Boden im Waschraum ist überfällig.
?!

Ich muss jetzt erst einmal die E-Mails abarbeiten. Da sind schon wieder welche.
Gut.
DD

Ich brauche Wasser, damit...
GLIZ

...der Boden sauber wird!
Aaargh!

Machen Sie den Eimer nicht so voll! Jeder Tropfen ist bares Geld!
Oh!

Meinen Sie wirklich?
Was ist nur in Sie gefahren, Baptist? So was haben Sie sich früher nie erlaubt.

Tut mir ja aufrichtig leid, aber das muss ich Ihnen wohl oder übel vom Lohn abziehen.
Glb!

Ich hab's! Das muss Dagobert Duck sein! So geizig ist sonst keiner!
Baptist!

Ich muss zu einem Geschäftsessen. Fahren Sie die Limousine vor.

Bevor er mir noch mehr Lohn abzieht, lasse ich besser die anderen rein.

Sie haben wirklich nicht übertrieben.

Das müsste die Diebstahlsicherung sein.
AN

AUS
KLACK!

Jetzt muss ich nur noch den drei Herren Bescheid sagen.

Hier ist Ernesto! Alles bereit für die Lektion!
GARAGE

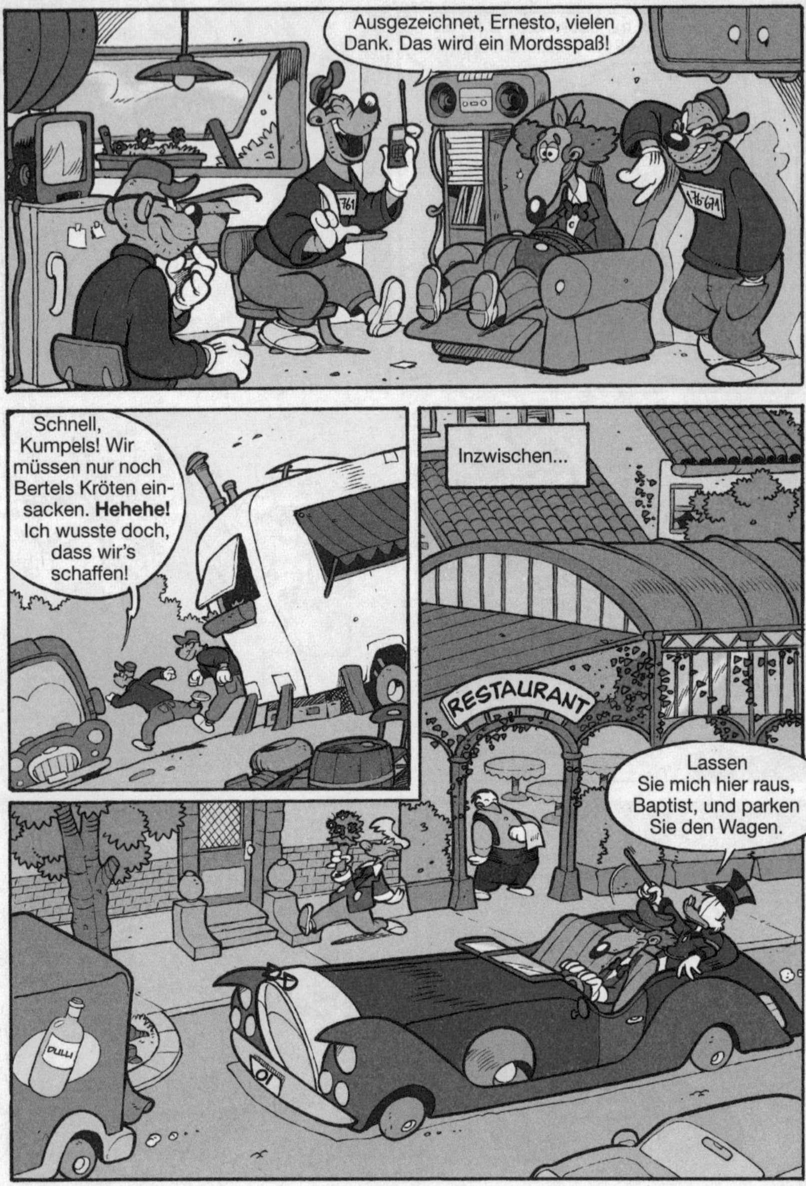

Schnell, Kumpels! Wir müssen nur noch Bertels Kröten einsacken. **Hehehe!** Ich wusste doch, dass wir's schaffen!

Inzwischen...

RESTAURANT

Lassen Sie mich hier raus, Baptist, und parken Sie den Wagen.

So was, ich bin viel zu früh dran. Kein Wunder, es war ja kaum Verkehr.

Leisten Sie mir ein wenig Gesellschaft?
Aber sehr gern.

Ich spendiere auch eine Vorspeise.
Oh!

Hm. So knausrig, wie die anderen behauptet haben, scheint Herr Duck ja gar nicht zu sein.

Da tut es mir fast leid, dass sie ihm so einen derben Streich spielen wollen.

Finden Sie das witzig? Ich nicht!
?!
Ich habe ausdrücklich stilles Wasser bestellt und nicht diese Blubberbrühe, die Sie mir da bringen!
Glbs!
PLOSCH!
Wollen Sie wissen, wie das Zeug schmeckt?
Das reicht! Lassen Sie den Mann in Ruhe!
!
Misch dich nicht ein, Opa! Klar?
Und wie ich mich einmische! Das ist mein Lokal! Und auf Gäste wie...
...Sie können wir verzichten!
Umpf!
STOMPF!

Herzlichen Dank, Herr Duck! Das war wirklich sehr nett von Ihnen.
Schon gut! Und passen Sie in Zukunft besser auf!

Bravo! Bravo!
Ach, das war doch nicht der Rede wert.
KLATSCH!
KLATSCH!

Ich finde Herrn Duck eigentlich gar nicht unsympathisch, muss ich sagen. Die Fremden haben mich offenbar belogen.

Ich muss Ihnen etwas gestehen, Herr Duck.
Ach ja? Was denn, Baptist?

Ich bin gar nicht Ihr Butler Baptist. Ich hab nur so getan, weil ein paar Typen mit Augenbinden mich darum gebeten haben.
Aah! Die Panzer-knacker!

Im Nu hat Ernesto alles erzählt, und so kommt die Polizei gerade noch rechtzeitig...
Uff! Eine Minute später, und sie wären mit meinem ganzen Vermögen getürmt!
Buhuhuuu! Das ist nicht fair! Wir hatten es doch fast schon geschafft!
POLIZEI
POLIZEI
PK
PFUI!
POLIZEI
WEG!
Sie haben bewiesen, dass Sie eine durch und durch ehrliche Haut sind, Ernesto. Und so etwas weiß ich zu schätzen!
POLIZEI

Möchten Sie Oberkellner in meinem Lokal werden?
Hurra!

Nichts lieber als das, Herr Duck! Ich werde Ihr Restaurant zum Blühen bringen!

Ich wünsche Ihnen recht viel Erfolg.
Danke. Ich hoffe, wir sehen uns dort bald.

Keuch! Etwas Schreckliches ist geschehen!
Hallo, Baptist!

Man will Sie berauben! Die Panzerknacker hatten mich niedergeschlagen und entführt! Wir müssen die Polizei rufen!

Ich konnte mich zum Glück befreien und... äh, warum sind Sie so ruhig?
Weil ich die Geschichte bereits kenne, Baptist. Die hat mir gerade schon jemand erzählt.
WEG!

Leider konnte ich nichts zu essen einkaufen. Und jetzt sind die Geschäfte geschlossen.
Ach, das macht nichts.

Ich habe noch ein altes Brötchen, das ich gerne mit Ihnen teile.

Hmm.
Soll keiner sagen, ich sei knausrig und ließe mein Personal hungern.
T
T
ENDE

Marco Bosco (Story), Vitale Mangiatordi (Zeichnungen)

I/T 2784-2

ZIPP!
KLACK!
ZISCH!
PASSWORT
EINGEBEN:
TIPP!
TAPP!
STAMPF!
STAMPF!
STAMPF!
STAMPF!

UIUIUIUIUI...
MOTOFUZZI

LEVEL 1
Hehe! Diesmal breche ich alle Rekorde!

Gleich hab ich die letzte Kurve gescha... ack!
Donald!?
150 T

Verrätst du mir, wieso du dich davongeschlichen hast, während ich beim Schuheanprobieren war?
Na, weil ich nach den ersten hundert Paaren die Nase gestrichen voll hatte!
GAME OVER

Bist du fündig geworden?
Natürlich nicht! Ich fand von Anfang an alle grauenvoll.

Jetzt komm! Ich brauche deinen männlichen Rat beim Kauf eines Kochtopfes!
Mit Vergnügen. Siehst du, wie vergnügt ich bin?
DVD
25 T
15 T

Und an dieser Beschichtung bleibt wirklich nichts haften?
So wenig, dass nicht mal wir dafür haften.
Gähn! Dass Langeweile so fad sein kann.
5 T
10 T
15 T
EINES ZUM PREIS FÜR ZWEI!
SONDER ANGEBOT!

Verzeihung, junger Mann, würden Sie mir wohl einen Gefallen tun?
Gerne. Was darf es sein?

Ich habe meine Brille zu Hause vergessen. Wenn Sie mir das hier vielleicht vorlesen könnten?
Aber mit Vergnügen.

Was? Aber das...
MR. JAY-J WILL SIE SPRECHEN!
SOFORT!

Sehr freundlich von Ihnen. Vielen Dank!
Kei-keine Ursache.

Was fange ich nun mit Daisy an?
Was können Sie mir zu den Griffen sagen?
Dass es zwei sind, auf jeder Seite einer.

Ähem... Liebes, ich muss leider los. Ein Notruf übers Handy.
Was für ein Notruf?

Du-Dussel hat sich in einem Fischnetz verheddert. Böse Falle. Die Fische beißen und die Fischer hauen.
Ich auch! Weil das die faulste Ausrede aller Zeiten ist!

Ich versuch's dir später schmackhaft zu machen! Jetzt muss ich rennen!
Um dein Leben, du Hallodri, du hergelaufener!
HAUSH WITSCH!

Kurz darauf, im Hauptquartier der Agentur...
Schnauf! Keuch! Ich bin so schnell gekommen, wie ich konnte! Fieps.
Nehmen Sie Platz, DoppelDuck. Mister Jay-J ist nicht im Büro, kommt aber gleich wieder.

Die übrigen Folgen mit **Agent DoppelDuck** findet ihr im LTB 384, 385, 386, 387 und 394.

Aus Ihrem Gesichtsausdruck schließe ich, dass es was Ernstes ist?
Noch ernster.

Red Rose, alias Kay-K, ist aus dem Gefängnis ausgebrochen!
170
160
150
140
N°1234XX

Und das ist nicht alles. Wie wir aus verlässlicher Quelle wissen, hat sie der Organisation ihre Dienste angeboten!
Was? Den gefährlichsten Gegenspielern der Agentur?

Sie glauben also, dass sie wieder zuschlagen wird?
Das hat sie bereits.

„Vor zwei Nächten ist sie in das Forschungslabor der regierungseigenen ‚Cyberteck' eingedrungen..."
CYBERTECK

...und hat den Universalschlüssel entwendet!
Und wenn man einfach die Schlösser austauscht?

Nicht doch. Bei diesem Schlüssel handelt es sich um einen Binärcode...
?

...mit dessen Hilfe man sich in alle Informationsnetze einloggen kann: Banken, Telekommunikation, nationale Verteidigungssysteme.

Wer diesen Zugangscode besitzt, beherrscht die Welt!
Herrje!

Nun, zum Glück ist es unserem Mann in Paris gelungen, den Halunken den Code rechtzeitig wieder abzujagen!

Jetzt muss er nur noch hierher zurückgebracht werden.
Zurückgebracht? Was soll das heißen?

So einen Code kann man doch einfach per Mail verschicken.
Nein. Die Gefahr, dass er abgefangen wird, ist zu groß.

Sie werden nach Paris fahren und ihn holen.
Da wär ich nie draufgekommen.

„Ach, noch eine Kleinigkeit, DoppelDuck: Sie werden nicht alleine reisen..."
Ich muss zugeben, der Plan, den Mister Jay-J ausgebrütet hat, schrammt hörbar an der Grenze zum Genialen entlang.
313

Also, da muss man erst mal drauf-kommen, dass ich zur Tarnung der Mission Daisy in die Stadt der Liebe mitnehmen soll!

Auf die Weise bin ich völlig unverdächtig. Und es ist eine tolle Gelegenheit, um bei Daisy wieder gut Wetter zu machen.
DAISY DUCK
313

Aber zuerst gibt's garantiert einen Empfang, der sich gewaschen hat!

Aua! Umpf!
WASCH MITTEL 5 KILO
WAPP!

Damit du weißt, wie sehr ich es schätze, wenn man mich stehen lässt.
Uff! Aber ich...

Jetzt will ich die Wahrheit hören, sonst...
Schon gut! Hier, das ist die Wahrheit!

Was denn? Das sind ja Flugtickets?
Für einen Wochenendflug nach Paris.

Ich hab dich nur stehen lassen, um die Tickets bei der, äh... Agentur abzuholen!
Reisebüro, meinst du. Aber egal.

Für diese Überraschung verzeihe ich dir alles, mein Schatz! **Schmatz!**
Nicht so wild!

Wir wollen gleich das Allernötigste für die Reise besorgen! Schuhe, ein Kleid, eine neue Schleife...
Argh!

Zwei Tage später...
Oh, Donald! Das ist ja das reinste Luxushotel!
Das beste Haus am Platze ist gerade gut genug für dich.
LUTETIA
TAXI
1475

Duck, der Name. Wir hatten reserviert, Herr Portier.
Willkommen, Exzellenz. Wir haben die Fürstensuite für Sie reserviert.

Eine Suite? Wie kannst du dir das leisten?
Äh... Onkel Dagobert war mir für zwanzig Jahre Münzen polieren noch was schuldig.

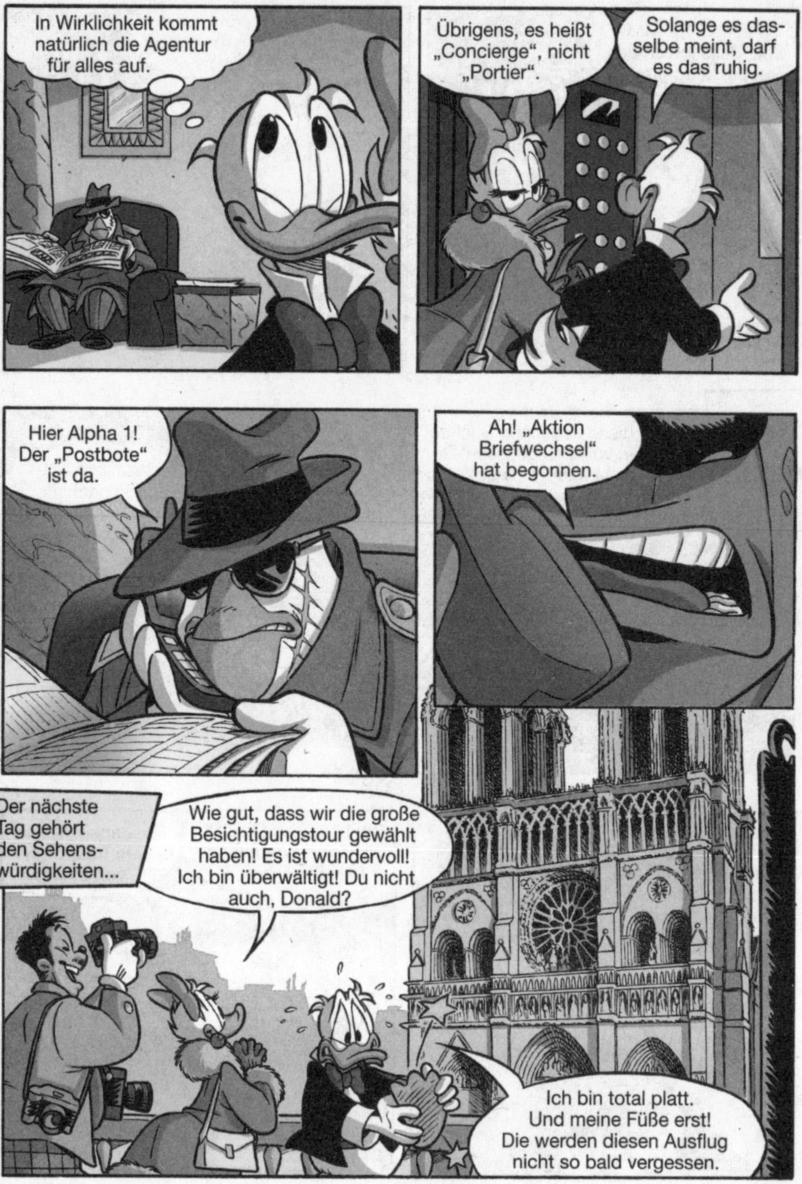

Hier Alpha 1! Der „Postbote“ ist da.

Ah! „Aktion Briefwechsel“ hat begonnen.

Der nächste Tag gehört den Sehenswürdigkeiten...

Wie gut, dass wir die große Besichtigungstour gewählt haben! Es ist wundervoll! Ich bin überwältigt! Du nicht auch, Donald?

Ich bin total platt. Und meine Füße erst! Die werden diesen Ausflug nicht so bald vergessen.

Fast elf. Es wird
Zeit, dass ich an den
Treffpunkt komme.
10:51
STRAMBO
ISCHAU
DISCH!

Gehen wir zum Montmartre.
Da findet jeden Tag ein großer
Kunstmarkt statt.
Wundervolle
Idee! Ich liebe
Märkte!
M

Bald...
Oh, all diese hübschen Sachen!
Ich bin völlig hingerissen! Du
nicht auch, Donald?
Ja, doch.
Schließe mich an.
Unbesehen.
Weil ich statt-
dessen nach mei-
nem Kontaktmann
Ausschau halte.
5 €

Als Erkennungs-
zeichen soll Dahlia-D
einen gelben Schal
tragen.
Bonjour,
Mademoiselle!
Sie erlauben?

Bitte nehmen Sie das
als kleine Würdigung
Ihrer Schönheit!
Oh, danke! Das ist
sehr freundlich
von Ihnen!

Das ist er! Er bedeutet mir, ihm zu folgen.

Äh... ich würde mir gern ein wenig die Füße vertreten.
Aber ja, geh nur, Lieber. Ich warte hier.

Das ist die CD-ROM mit dem Code, Doppel-D!
Danke. Ich werde versuchen, sie nicht zu verlieren.

Da mach dir mal keine Sorgen, Kollege, wir passen gerne für dich drauf auf. Wenn ich bitten dürfte...
Verflixt! Agenten der Organisation! Wir haben keine Chance!
Sieht so aus.

Aber das bin
ich gewohnt
bei dem Job!
Autsch!
Schnapp du ihn dir, ich
hab schon einen.
Leichte Beute!

Wenn ich immer bloß die
Chancen genutzt hätte,
die ich hatte...
Wo zum
Donner ist
er denn ab-
geblieben?

Wo ist die
leichte Beute?
Spar dir den Humor! Der
Kerl hat mich geleimt!
BREMS!
WOMMS!
Achtung! Ich rufe
Alpha 1! Plan B
tritt in Kraft!

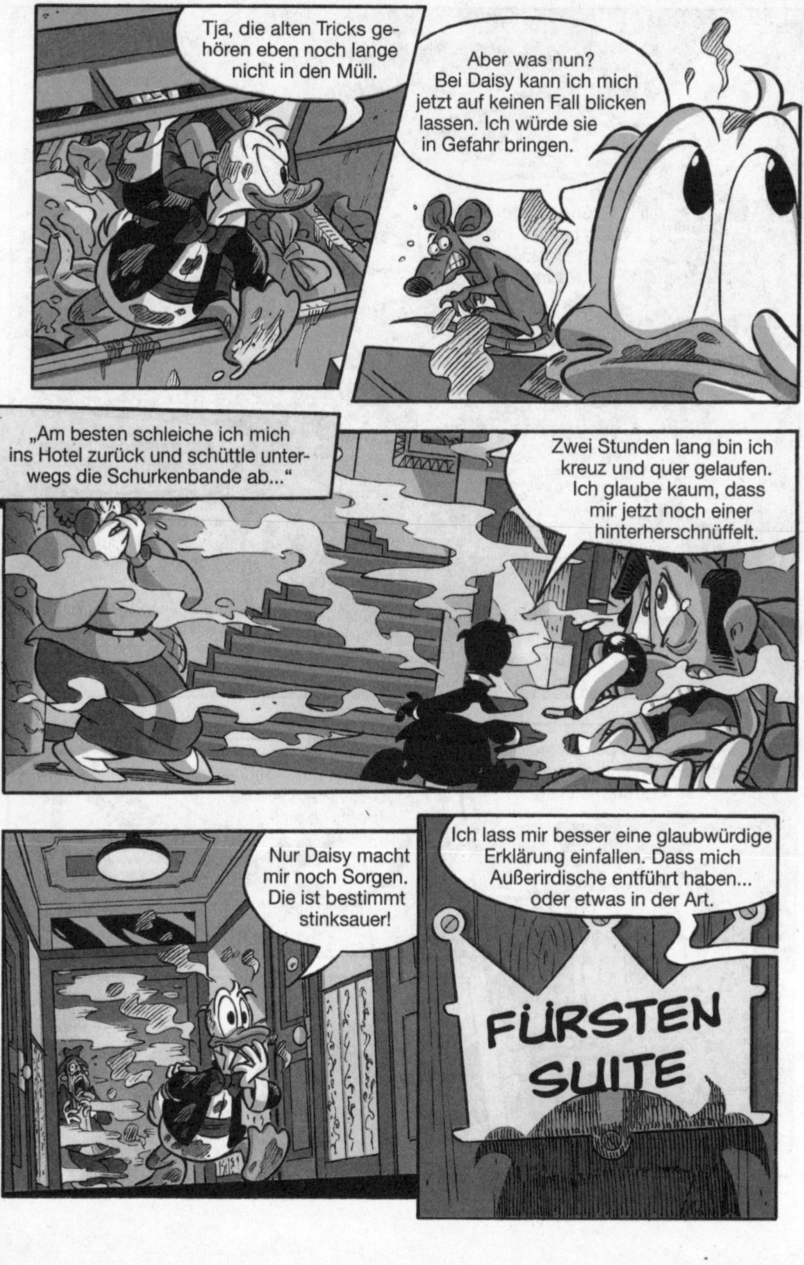

Tja, die alten Tricks gehören eben noch lange nicht in den Müll.

Aber was nun? Bei Daisy kann ich mich jetzt auf keinen Fall blicken lassen. Ich würde sie in Gefahr bringen.

„Am besten schleiche ich mich ins Hotel zurück und schüttle unterwegs die Schurkenbande ab..."

Zwei Stunden lang bin ich kreuz und quer gelaufen. Ich glaube kaum, dass mir jetzt noch einer hinterherschnüffelt.

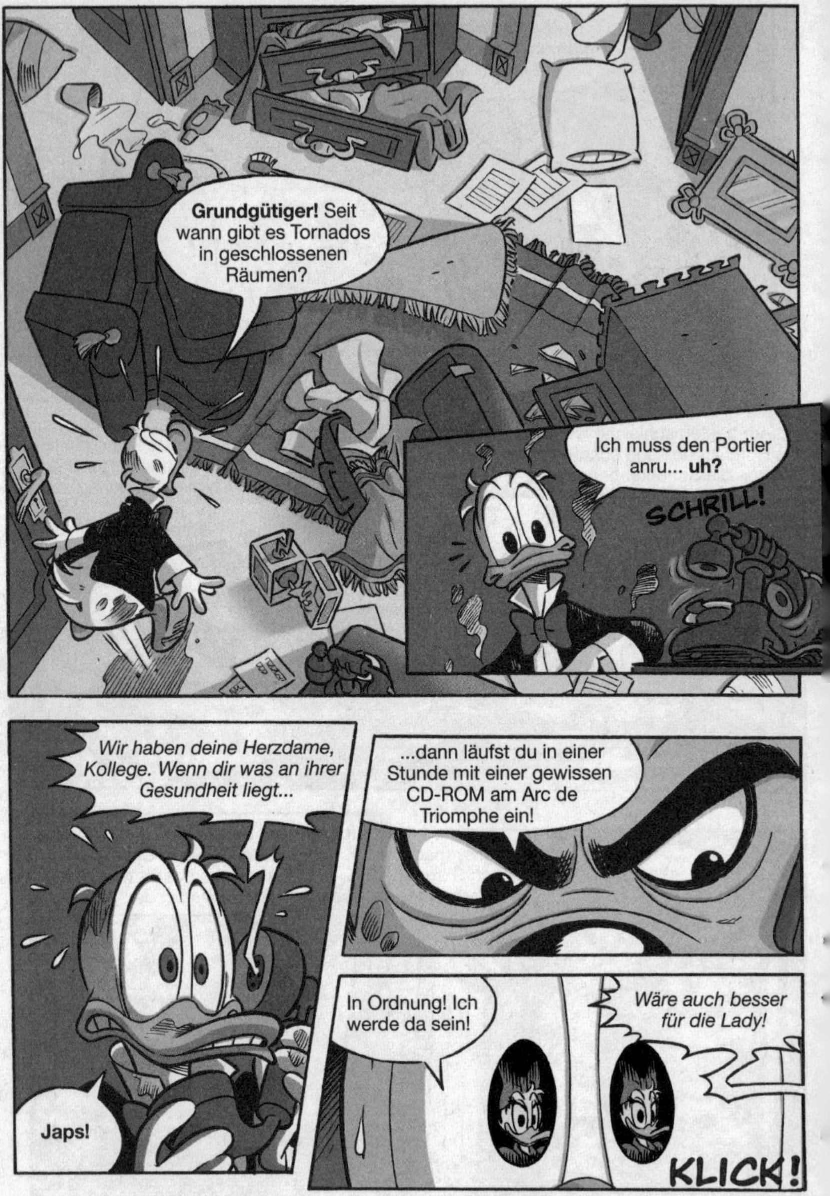

Grundgütiger! Seit wann gibt es Tornados in geschlossenen Räumen?

Ich muss den Portier anru... **uh?**

SCHRILL!

Und schon steht mir der Schlamassel Oberkante Unterlippe. Wenn ich auf die Erpressung eingehe, verrate ich die Agentur.
KLACK!
Und wenn nicht, setze ich Daisys Leben aufs Spiel. Kein Paradebeispiel für eine freie Wahl.
In der Champs-Élysées, genau achtundfünfzig Minuten später...
Vorsichtshalber bin ich ein bisschen früher gekommen, um das Terrain zu sondieren. Ich hoffe, die Halunken sind pünktlich. Schon meinen Nerven zuliebe.
BREMS
Los, steig ein! Beeilung!
Wo ist Daisy? Was habt ihr mit ihr gemacht?
Keine Bange, mit der jungen Dame steht alles zum Besten. Noch.

Hier ist der Code.
Sagst du so. Aber wer beweist uns, dass der auch echt ist?
Vielleicht hast du ihn gegen Zahlensalat ausgetauscht.
Wenn es um meine Verlobte geht, treibe ich keine Geheim-spielchen.
Weißt du was? Ich glaube dir sogar! Trotzdem werden wir die Datei zuerst sorg-fältig prüfen.
Hehe!
?
Ihr wartet hier. Sobald ihr von mir hört, geht es weiter wie besprochen.
Geht klar.
Moment mal! Wieso habt ihr mich in diese gottverlassene Gegend ge-schleppt?
Weil wir hier in Ruhe arbeiten können. Ohne lästige Zeugen.
WROMM!

Manche Dinge erledigt man besser im Stillen.
Aber wir hatten abgemacht...
Hatten wir. Aber weißt du, wir halten uns ungern an Abmachungen.
Wir haben, was wir wollen, und du bekommst wa... **agk!**
TSCHACK!
Uhuff!
Ungh!
Kay-K!?
Hallo, DD! Nett, dich wiederzusehen.
Aber warum hast du mir geholfen? Du arbeitest doch für die Organisation!
Ja, nicht wahr? Das ist, was alle denken sollen.

Aber in Wirklichkeit arbeite ich für die Agentur.
Was?
Und dein Ausbruch aus dem Gefängnis?
Das reinste Theater, damit ich der Organisation gegenüber glaubwürdig wirke.
Der große Chef hat den Plan persönlich entworfen. Und er ist auch der Einzige, der Bescheid weiß. Jetzt natürlich außer dir, DoppelDuck.
WRAAMM!
Das heißt, dass nicht einmal Mister Jay-J eingeweiht ist?
I W CHAMP
Und der Diebstahl des Zugangscodes gehört dann wohl auch zum Plan?
Den hat die Organisation verlangt, um mich auf die Probe zu stellen.
Aber ich hab's so gedreht, dass Dahlia-D die CD-ROM gleich wieder an sich bringen konnte.

Eins verstehe ich trotzdem nicht, Kay-K. Woher haben die Ganoven gewusst, wo Dahlia-D und ich uns treffen würden?
Haben sie ja gar nicht. Die haben dich einfach ganz klassisch beschattet.
WROMM!
Ich hab's erst vorhin erfahren, als ich ein Telefongespräch abgehört habe.
Und dann bist du mir gleich zu Hilfe geeilt? Das weiß ich zu schätzen.
Ich hoffe, du hilfst mir auch, Daisy zu befreien. Wo haben sie sie hingebracht?
Darüber haben sie nicht geredet, aber ich kann's mir schon denken.
„In das Pariser Hauptquartier der Organisation!"
Da drin muss auch die CD-ROM sein. Die „befreien" wir gleich mit, so fangen wir zwei Fliegen mit einer Klappe.
Sieht schwer nach Festung aus. Wird sicher nicht leicht, da reinzukommen.

Im Gegenteil! Ein Sonntags-spaziergang!
BIPP!
KLACK!
RASCHEL!
STOPF!
?
Was sagst du nun, DoppelDuck?
Wenig, weil sprachlos.

Wie schaffst du es, dich so schnell zu ver-kleiden?
Berufsgeheimnis. Ich verrat's dir später mal.

Ich hoffe, du hast das Zeug zum Schauspieler.
Wie, Schauspieler? Was hast du denn vor?

Die Datei sträubt sich, aber ich hab noch jede aufbekommen. Und dann werden wir sehen, ob sie den echten Zugangs-code enthält.
DING! DONG!
Die Türklingel! Wer kann das denn sein?

Tu so, als wäre dir bange.
Wurgs! D-da braucht's nicht viel an Verstellung.
DING! DONG!
GRABSCH!

Das ist Brodsky. Er hat den Matrosen dabei.

Die Hohlköpfe sind drauf reingefallen.
Wieso missachtet der sämtliche Befehle und kommt hierher? Na, der kann sich auf was gefasst machen!

Lass mich durch, ich muss sofort den Boss sprechen!
Also, ich weiß nicht, ob... **ächz!**
Gönn dir inzwischen ein Nickerchen.
ZISCH!

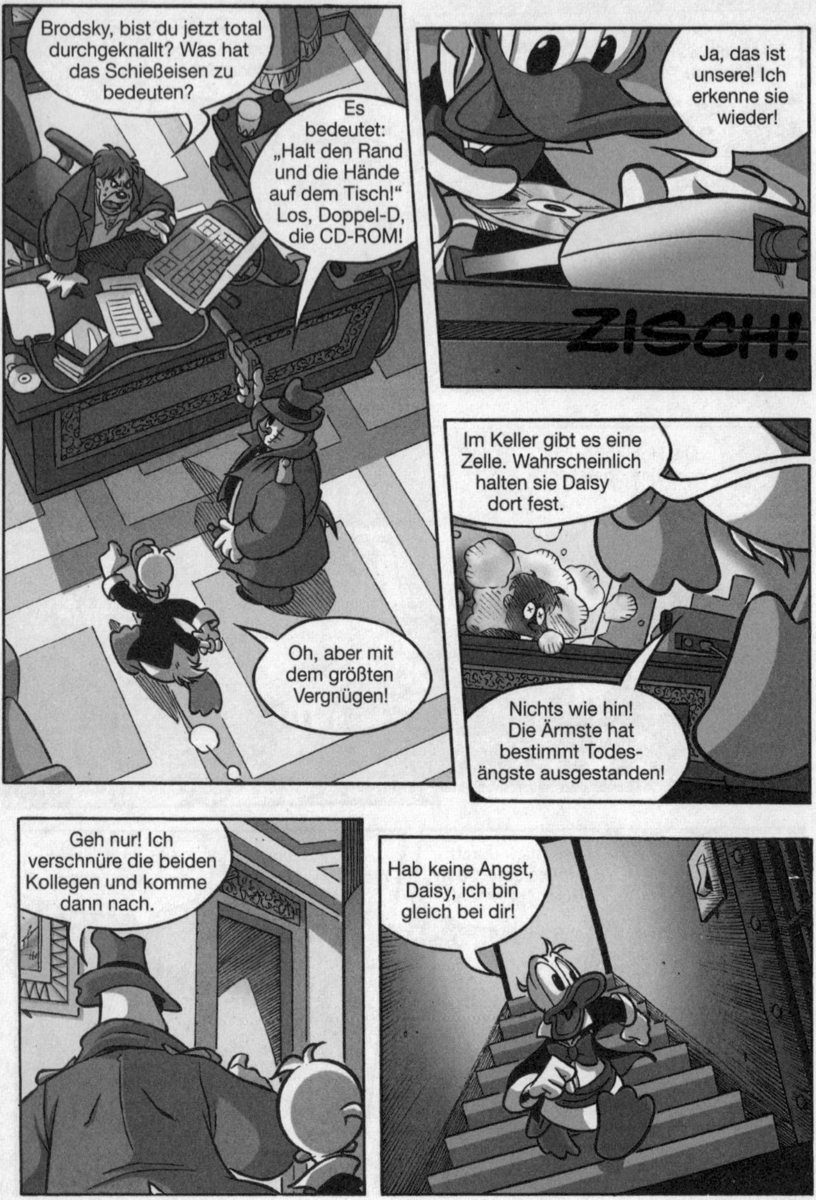

Brodsky, bist du jetzt total durchgeknallt? Was hat das Schießeisen zu bedeuten?

Es bedeutet: „Halt den Rand und die Hände auf dem Tisch!“ Los, Doppel-D, die CD-ROM!

Oh, aber mit dem größten Vergnügen!

Ja, das ist unsere! Ich erkenne sie wieder!

ZISCH!

Im Keller gibt es eine Zelle. Wahrscheinlich halten sie Daisy dort fest.

Nichts wie hin! Die Ärmste hat bestimmt Todesängste ausgestanden!

Agent DoppelDuck?
Dahlia-D, du hier? Aber wo ist Daisy?

Deine Freundin? Die hab ich nicht gesehen.
Mist! Dann halten die sie woanders gefangen!

Oh! Jetzt versteh ich gar nichts mehr. Kay-K ist ausgeflogen!
Was sagst du? Wer ist ausgeflogen?
Äh... die Kollegen! Machen wir, dass wir wegkommen!

Ich denke, für mich ist es gesünder, wenn ich eine Zeit lang von der Bildfläche verschwinde! Bis dann, Doppel-D!
Nein, warte doch, ich...

...ich steh allein auf weiter Flur.

Kann mir einer verraten, was ich jetzt machen soll?

„Am besten ziehe ich mich erst mal ins Hotel zurück und überlege, wie es weitergeht.“
LUTETIA
Ich muss rausfinden, ob die Organisation noch andere Schlupfwinkel in der Stadt hat. Vielleicht kann mir Mister Jay-J dabei weiterhelfen.

Daisy? Aber wie kommst du denn hierher?
Tut mir leid! Ich weiß schon, dass ich auf dem Markt auf dich warten wollte.

Aber dann hab ich einen kleinen Spazier-gang gemacht und mich prompt verlaufen. Und da bin ich lieber gleich ins Hotel zurück.
Wann denn? Als ich vor drei Stunden zurück-kam, warst du nicht hier!

Doch, aber nicht in der Suite, sondern im Schönheitssalon des Hotels.
?!

„Der Concierge hat mich darauf aufmerksam gemacht, dass der Besuch im Preis der Fürsten-suite inbegriffen ist.“

Jetzt entschuldige mich bitte! Ich hab die Suite in einem ziemlichen Chaos hinterlassen! Das kann so nicht bleiben!
Die Organisation hat mich reingelegt.
KLACK!
KLACK!

Daisy war nie in ihrer Gewalt! Und die Suite hat der Verein auch nicht verwüstet. Oh?
Das schafft eine Frau ganz alleine.

Kay-K! Kannst du nicht Bescheid geben, bevor du dich verdrückst?
Nicht böse sein, mein Held. Ich hatte meine Gründe... und die waren gut.

Zum Beispiel glauben meine „Kollegen“ jetzt, dass ihr Frankreich bereits verlassen habt.

Super! Dann sind Daisy und ich außer Gefahr?

Daisy ja, du nicht. Ich hab nebenbei rausgefunden, dass dich jemand beseitigen will.

Auch das noch! Wer denn?
Weiß nicht. Aber es muss mit deiner ersten Mission zu tun haben.
Diese geheimnis-vollen drei Tage, die aus meinem Gedächtnis gelöscht wurden?
Genau. Leider kann ich dir noch nicht mehr sagen.
Bis irgendwann, mein Doppellieber. Komm nicht unter die Räder.
Ich werd mein Möglichstes tun, um es zu verhindern.
Und vergiss nicht... keiner darf erfahren, dass ich dir geholfen habe!
Ich schweige wie ein... ups, lieber nicht. Aber du verstehst.
Alles geregelt! Der Zim-merservice hat die Spuren meiner Nachlässigkeit schon aus der Welt geschafft.
Ah ja? Das schätze ich immer so an Luxushotels.
Immer wär schön. Aber morgen geht es schon wieder nach Hause.
Dann genießen wir die letzten Stunden, Liebes.

Und am folgenden Abend...
DD

Mission erfolgreich abgeschlossen! Hier ist die CD-ROM mit dem Zugangscode!
Gute Arbeit, Agent Doppel-D! Ich wusste doch, dass ich mich auf Sie verlassen kann.

Zur Belohnung dürfen Sie sehen, was auf dem Datenträger ist.
Ich bin gespannt, wie so ein Universalschlüssel aussieht!

Was denn, ein Computerspiel?
SPEED
LOADING
RACING
IV

Hihi! Der echte Schlüssel befindet sich hier drin!
In Daisys Spieluhr?

Wie kommen Sie überhaupt an die?
Wir haben sie während der Gepäckkontrolle am Flughafen gegen ein identisches Modell ausgetauscht.

Da wir damit rechnen mussten, dass die Spione der Organisation Sie enttarnen, haben wir zu einer kleinen List gegriffen.
Die CD-ROM war nur ein Köder, um die Haifische abzulenken?
Das kann man so sagen. Der Code war hier drin die ganze Zeit sicher aufgehoben.
Er versteckt sich gewissermaßen in der Melodie der Spieluhr.
PLING!
DILING-DING!
Gizmo wird ihn am Computer wieder in einen Binärcode verwandeln.
Ein Kinderspiel.
Mit etwas bösem Willen könnte man sagen, Sie haben mich als Pappkameraden in die Schusslinie gestellt!
Das war nötig. Und um den Plan nicht zu gefährden, durften wir sie auch nicht einweihen.

Übrigens, ist Ihnen bei Dahlia-Ds Befreiung was Ungewöhnliches aufgefallen?
Äh... nein. Warum fragen Sie?

Weil gestern offenbar sämtliche Geldmittel des Pariser Zweigs der Organisation entwendet wurden.

Sieben Millionen Dollar, verschlossen in einem Safe. Das habe ich aus sicherer Quelle.
So? Äh... tu-tut mir leid, ich hab nichts bemerkt.

Na gut! Sie können gehen. Erholen Sie sich ein wenig von Ihrem Einsatz.
Mach ich! Die nächsten paar Tage kriegt mich keiner aus der Hängematte!

Natürlich weiß ich genau, dass Kay-K die Millionen gemopst haben muss.

„Schließlich war der offene Safe nicht zu übersehen, nachdem sie sich davongemacht hatte."

Ob sie mir nur geholfen hat, um an das Geld zu kommen? In dem Fall muss sie...
...gewusst haben, dass Daisy nicht entführt wurde. Hmm, was für ein Spiel spielt Kay-K?
WROMM!
Und wer ist der geheimnisvolle „Jemand", der es auf mich abgesehen hat?
Früher oder später muss ich herausfinden, was in den drei Tagen geschah, die in meiner Erinnerung fehlen...
313
ENDE

Andrea Ferraris (Story und Zeichnungen)

Ich sage es kurz, knapp und klar: Unsere Lage ist mehr als **katastrophal!**
Die Verkaufszahlen sprechen leider eine ebenso deutliche wie...
...vernichtende Sprache! Wir befinden uns statistisch gesehen im freien Fall!
Es gab Zeiten, da bewegten sich unsere Verkaufszahlen in schwindelerregenden Höhen...
...aber heute stehen wir unmittelbar vor dem endgültigen Ruin!

ABENDBLATT
HOT
Wie konnten wir nur so tief sinken?
Dafür gibt es eine einfache Erklärung!
In der Tat!
Die Leute lesen eben lieber diese neue Boulevardgazette „Schickeria-News“, Onkel Dagobert! So ist es leider!
Aber wieso denn das?
Weil es da nur um Promis und Partys geht!
Wenn irgendwo ein Star aus der Rolle fällt, dann war Schickeria-News dabei!
Stimmt! Keiner hat so tolle Schlagzeilen wie dieses Klatschblatt!
Weil Plinius Pulitz für die schreibt! Und der ist immer am Ball!
Noch nie von ihm gehört! Wer ist das?
Er gilt als das absolute Ass unter den Klatschkolumnisten, Herr Duck!

Keiner weiß wie, aber er ist immer dort...
...wo gerade etwas los ist! Manche sagen, er ziehe die Skandälchen nahezu magisch an!
Im Vergleich zu ihm haben sämtliche Reporter das Nachsehen!
Das ist ja grauenhaft!
Pah! Im Grunde kocht der doch auch nur mit Wasser!
Und sein Stil ist schlicht und billig!
Was der kann, könnten wir schon lange! Wie wär's...
...wenn du uns eine Kolumne geben würdest?
Ist das wirklich euer Ernst?
Sicher! Wir werden es diesem Pulitz schon zeigen!
Lass uns nur machen...
...und das Abendblatt wird bald wieder dort sein, wo es hingehört!
Genau! Ganz oben nämlich!

Seufz! Also gut, versuchen wir's!
Super! Du wirst es nicht bereuen, Onkel Dagobert!
Und falls doch, droht euch die Rotations-maschine!
Nicht doch! Wir werden das Kind schon schau-keln!
Und so...
CHEF
Glaubst du, wir bekommen dafür eine Ge-haltserhöhung?
Jetzt noch nicht! Aber warte, wenn wir erst einmal berühmt sind...
...werden die Taler sicher lustig in unseren Taschen klimpern, hehe!
Meinst du? Das klingt ja wie Musik in meinen Ohren!
Und genau deshalb müssen wir die Sache auch mit Methode und klarem Verstand angehen!
?

Zuerst müssen wir unseren Konkurrenten genau unter die Lupe nehmen!

Sehen wir im Reporterverzeichnis nach... unter Buchstabe P wie platt.

Da haben wir ihn schon... Plinius Pulitz!
PLINIUS PULITZ

Na, um sein Aussehen brauchen wir ihn nicht zu beneiden!
Da hast du recht!

Kümmern wir uns also um die Frage, wie er es...
...geschafft hat, so berühmt zu werden!

Dazu müssen wir lediglich das Filmmaterial sichten und gründlich analysieren!

Fangen wir am besten mit der Reportage über Käpt'n Horner an.

Obwohl er bei einer Regatta in Führung lag, zögerte er nicht, einem Delfin in Not zu helfen!

Er rettete das Tier und opferte dafür sogar seinen Sieg!
Das nenne ich eine noble Gesinnung!
ZIEL
SURR!

Aber woher wusste Pulitz, wo er sich postieren musste, um diese Aufnahmen zu machen?
Er wusste es nicht, er hatte eben Glück!

Das ist Baron von Pingel! Er behauptete steif und fest, sich noch nie im Leben die Hände schmutzig gemacht zu haben!

Bis ihn Pulitz dabei überraschte, wie er selbst einen Reifen wechselte!
BLUBB

Ui! Da war der Baron aber wütend!
Das ist noch harmlos im Vergleich zu dem Wutausbruch von Theodor Tolle!

Der Millionär rühmte sich seines herrlichen Haupthaars...

...bis Pulitz ihn genau an dem Tag vor dem Klub ablichtete...
KLUB DER MILLIARDÄRE

...als Tolle vergessen hatte, seine wallende Perücke aufzusetzen!

Das ist ein echter Knüller!
Stimmt! Tolle soll daraufhin nach Timbuktu ausgewandert sein!

Doch nun zur Hauptdarstellerin der TV-Schnulze „Das Lächeln der Lisa“!

Sie war neulich zu Gast beim Bürgermeister...

...als sie auf einer Brücke das Gleichgewicht verlor und in einem Schweinepferch landete!
Hahaha! Ist das komisch!

Und wieder muss man sich fragen, ob Pulitz das hat kommen sehen oder ob es Zufall war!
Natürlich Zufall! Er war einfach zur richtigen Zeit am richtigen Ort!

Hier ist sein jüngster Streich! Jeder kennt Frank von den „Prima Peperoni“!
...

Plinius Pulitz fand heraus, dass Franks Verlobte tatsächlich die Nichte des Pförtners der Villa ist, in der der Mann seiner Schwester wohnt.

Und das konnte nun wirklich keiner ahnen!
Wer denkt denn auch an so was!

Er scheint offenbar jedes Geheimnis der Berühmtheiten aufdecken zu können!
Ja, aber wie stellt er das an?

Werfen wir doch mal einen Blick auf den Veranstaltungsteil seiner Gazette!
SCHICKERIA-
NEWS

Siehst du? Heute Abend findet eine große Party bei Gilvester Galone statt!
RIVAT
WAS LOS!
GILVESTER GALONE

Wir schmuggeln uns unter die Partygäste und halten die Augen offen!
BLATT

„Der Rest ergibt sich von ganz allein...“
Und immer hübsch aufmerksam bleiben! Jeden Moment könnte sich etwas ereignen!

Immer mit der Ruhe! Meinem geschulten Auge entgeht so schnell nichts!

Dort vorne zum Beispiel, wer ist das?

Na, wer wohl? Das ist Plinius Pulitz!
Und der neben ihm?

Das ist Fred Forderseher, der Schnulzenkönig!
Super! Von dem hab ich alle Platten! Mir fehlt nur noch ein Autogramm von ihm!

Wahnsinn! Schnell, Donald! Das ist der Knüller des Jahres! Gib mir den Foto-apparat!
Wie?

Und klick!
Und klick!
Und klick!
?

Das war schon mehr als Glück! Jetzt aber nichts wie zurück in die Redaktion!

Hast du gesehen, was Fred Forderseher in der Hand gehalten hat?
Äh... es sah aus wie ein Glas Orangensaft, oder?

Du sagst es! Und dabei ist doch bekannt, dass er immer und überall Apfelsaft bevorzugt!

Sag mal, wo ist denn da die Sensation?
Na, dass Pulitz es nicht einmal bemerkt hat! Wir haben unsere Story!
Dann fängt unsere Kolumne ja gleich mit einer echten Entdeckung an!
O ja, morgen wird niemand mehr über etwas anderes reden!
n der Tat...
ABENDBLATT
Sofort in mein Büro, ihr Nieten! Ich will euch unter vier Augen sprechen!
Ich bin mehr als beeindruckt, dass ihr wisst, welche Getränke Forderseher für gewöhnlich bevorzugt!
SCHICKERIA-NEWS
„Und ich wäre begeistert, wenn ihr auch berichtet hättet, wie er dem Topmannequin Vera Vanilla den Saft ins Gesicht schüttete."
PITSCH!

„Und damit hat er nicht nur ihr tadelloses Make-up, sondern auch ihr Pariser Modistenhütchen ruiniert."
Aber statt das in meiner Zeitung zu lesen, muss ich es dieser „Schickeria-News" entnehmen!
Allerdings ist das Abendblatt dank eurer Leistung wieder in aller Munde!
Aha?
Ach?
SCHICKERIA-NEWS
Ja! Und zwar als das größte Käseblatt der ganzen Stadt! **Schnaub!**
ABENDBLATT
Hauptsache, man redet wieder über uns! Also gib uns noch eine Chance, Onkel Dagobert!
Von mir aus! Aber falls ihr wieder versagt, könnt ihr keine Gnade mehr erwarten!

Und was nun?
Ohne Knüller sind wir so gut wie erledigt!
Abwarten, Donald! Ich hab da bereits eine Idee!
Wir folgen Pulitz auf Schritt und Tritt! Dann haben wir sicher bald unseren Knüller!
Klar! Wo der auftaucht, lassen die Sensationen nicht lange auf sich warten!
Du hast es erfasst!
Und so...
Er kommt! Vermutlich will er sich nur die Beine vertreten!
KNUSP!

Er hat wohl einen Spaziergang am Strand geplant!
Hm! Aber um diese Zeit ist da doch kein Mensch!
Jetzt kauft er sich eine Schickeria-News!
Pah! Wohl um seine eigenen Artikel zu lesen, wie?
Ja, aber während er liest, ist er so abgelenkt, dass er uns sicher nicht bemerkt!
Nanu! Wo ist er denn plötzlich?
Er muss sich hinter diesem Felsen dort versteckt haben!
Pirschen wir uns vorsichtig heran!
Du, mein Riecher sagt mir, dass wir einem Riesenknüller auf der Spur sind!

Ja, aber... **so was!**
Er kann sich doch nicht in Luft auflöst haben!
?
Das wäre der absolute Knaller!
Schon, aber bisher wissen wir gar nichts! Am besten warten wir und...
Gurgel! Glugg!
O Schreck! Ha-hast du das auch gehört?
Glbs!
Plitsch!

?!
Sieh doch nur! Das ist ja eine riesige Muschel!
Und unser nächster Wahnsinns-knüller, Donald!
Los! Halt mit der Kamera drauf und schieß, was sie hergibt!
Klick!
Klick!
Dafür werden wir garantiert ins Buch der Rekorde aufgenommen!
Und Plinius Pulitz hat von all dem nichts mitbekom-men! **Hurra! Haha!**

Und so, anderntags...
Hast du unseren Knüller schon gesehen, Onkel Dagobert?
Diesmal haben wir doch alles richtig gemacht?
Allerdings! Und das hätte ich gar nicht von euch erwartet!
Eine so große Muschel hab ich noch nie gesehen! Und unsere Leser auch nicht!
Die neue Schickeria-News-Sonderausgabe! Staunen Sie über unglaubliche Enthüllungen aus einer Riesenmuschel!
Rasch doch, gib mir eine!
Ich fasse es nicht!
SCHICKERIA-NEWS
ENTHÜLLUNGEN AUS DEM INNENLEBEN DER RIESENMUSCHEL
VON UNSEREM REPORTER PLINIUS PULITZ
„Als ich heute, während meines Nachmittagsspaziergangs, ein Bad im Meer nahm, wurde ich von einer Riesenmuschel verschluckt."

„In ihrem Inneren fand ich einen Edelstein, den ich sofort erkannte! Er war das Lieblingsjuwel der gefeierten Operndiva Tizia Triller.“

„Sie hatte ihn einst bei einem Bad im Meer direkt vor ihrem Wochenendhaus verloren.“

„Zufälligerweise hatte sie mir seinerzeit unter dem Siegel der Verschwiegenheit beim Nachmittagstee davon erzählt.“

„Bei dem Stein handelt es sich nämlich um ein Geschenk ihres sechsten Gatten! Ich berichtete damals über die Traumhochzeit der Diva mit dem Rockstar Zippo Zappata und bla, bla...“

Daher...
Ich wusste ja, dass die Rotationsmaschine nicht die Neueste ist...

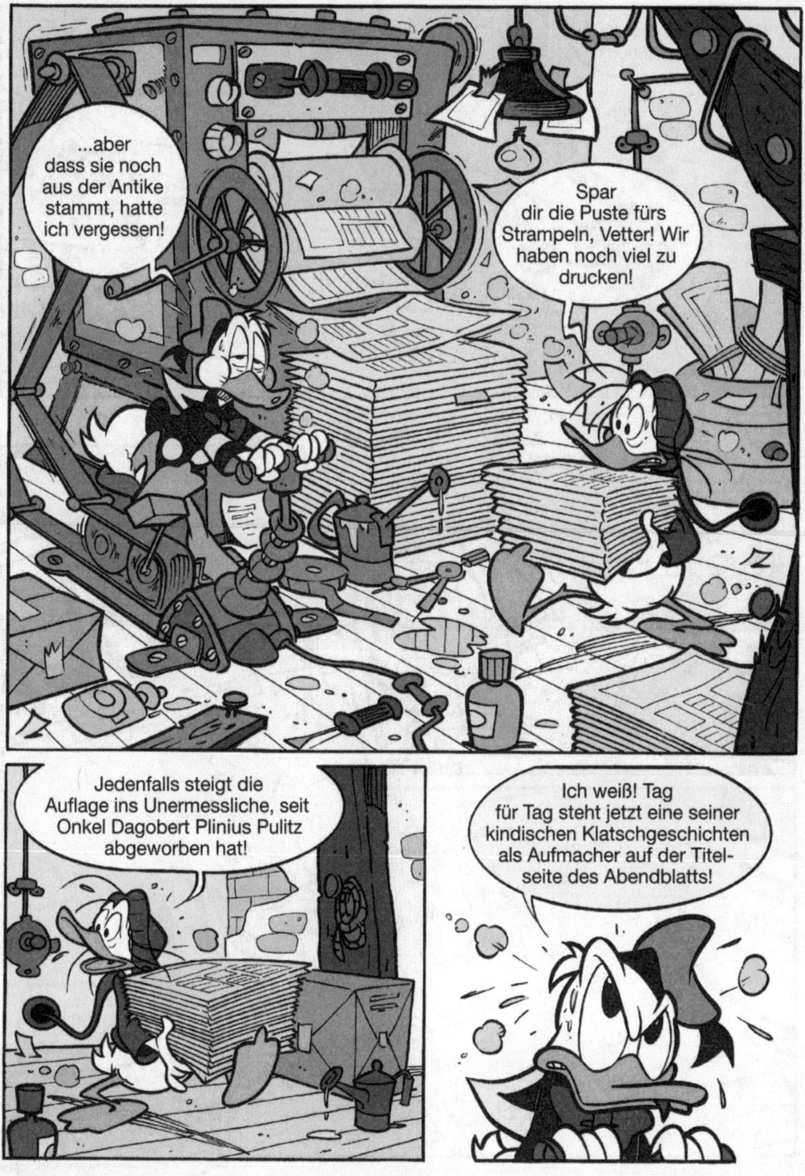

...aber dass sie noch aus der Antike stammt, hatte ich vergessen!

Spar dir die Puste fürs Strampeln, Vetter! Wir haben noch viel zu drucken!

Was gibt's denn heute Feines zu lesen?
Oh! Diesmal ist es ein Artikel über die Ernennung des besten Reporters von Entenhausen!
SURR!
RATTER!
Soll das etwa heißen...
Ächz! O ja! Genau das!
ABENDBLATT
ABENDBLATT
„Für seine Gewandtheit im Ausdruck und seine Sicherheit der Themenwahl wurde Plinius Pulitz zum König der Kolumnisten ernannt.“
PLINIUS PULITZ
ENDE

Jagd nach Ersatzteilen

Bruno Sarda (Story), **Massimo De Vita** (Zeichnungen)

„...der Passagier, der bei meinem letzten Flug vor ein paar Tagen den Platz direkt neben mir hatte.“

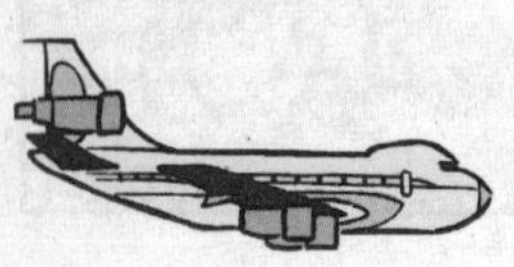

Dafür überschreitet mein Sitznachbar deutlich die Grenze und raubt mir zwei Zentimeter meiner Ellbogenfreiheit!
DIE SCHAUFEL FACHSCHRIFT FÜ ARCHÄOLOGIE
„Der Mann hat sich aufgeführt, dafür fehlen mir die Worte. Zum Glück!“
Hören Sie, der Schatten Ihres Hutes verletzt mein Recht auf freie Sicht!
„Jedenfalls hat er meine Geduld auf eine schwere Probe gestellt...“
Wie man weiß, kommt es in einem von zehn Millionen Fällen beim Verzehr von Lutschpastillen zu... bla, bla...
Mit dem mag ich's nicht noch mal zu tun kriegen.
Hallo, Sie da!
Kennen Sie mich noch? Wir haben im Flugzeug nebeneinandergesessen. Keine sehr angenehme Erinnerung.
Aber Sie haben das natürlich längst vergessen, wie ich vermute.
Wohl kaum. Einen wie Sie vergisst man nie.

Ich denke, ich nehme das als Kompliment.
Dennoch möchte ich hoffen, dass uns der Zufall bei unseren nächsten Reisen nicht wieder zusammenführt.
Dann schon lieber eine Schlange im Schlafsack.
Was? Ich hab Sie nicht verstanden.
DER NÄCHSTE
Unwichtig! Entschuldigen Sie mich, ich bin mit der Inspektion dran.
„...hoffentlich auf Nimmerwiedersehen!“
Also dann...
Warum bin ich vorgeladen?
Weil Sie in den letzten zehn Jahren Ihre Pflichttermine zuverlässig verpasst haben.

Alles Weitere besprechen Sie bitte mit unserem Chefprüfer.
Herrje!

Ha-hallo, hehe!
Warum plötzlich so kleinlaut, Herr Goof?

Fürchten Sie, Ihr Wagen besteht nicht vor meinem wachen Auge?
Aber woher denn. Mein Auto ist bestens in Schuss. Was man schon daran merkt, dass es fährt.

Und das ziem-lich oft im Regen, wie?
O ja! Mein Goofobil hat Wolkenbrüche erlebt, dagegen sind die Niagarafälle das reinste Rinnsal.

Deshalb wirkt der Wischer wohl ein wenig schlaff, mal so gesagt!
Nicht doch! Das ist nur ein wenig Schlamm.

Ich war kürzlich gezwungen, einen Sumpf zu durchqueren!
Und in Sümpfen sumpft es eben. Einerlei...
Aber dass der Zündverteiler auch im Saft steht, ruft mich als Prüfer auf den Plan.
Sie behaupten ernsthaft, dass Sie sich mit diesem Wrack auf Expeditionen wagen?
Bisher hatte ich nie Probleme mit meinem Fahrzeug.
Jetzt schon. Weil es nicht mehr fahren wird, bevor nicht der Wischerarm, der Verteilerkopf und die Rücklichter repariert sind!
Hätte schlimmer kommen können.
Nebenan ist ein Ersatzteilhandel. Ich besorge gleich alles Nötige.
Wollen Sie mich vergackeiern?

Das Gesetz zur technischen Instandhaltung von Fahrzeugen zwielichtiger, weil fremdländischer, Herkunft besagt...

...dass nur **Originalteile** verwendet werden dürfen!
Äh... und Sie glauben, dass das Gesetz noch immer in Kraft ist?

Selbstredend! Ich werde ja wohl noch glauben, was ich selbst behaupte! Entweder Originalersatzteile oder kein Stempel.

Aber mein Goofobil wurde seinerzeit in London gebaut!

Sie wollen doch nicht, dass ich wegen der paar Teile nach London reise?
Nein, warum auch?

Mir ist es sogar lieber, wenn Sie es vorziehen, Ihren Wagen zu verschrotten.

Da erübrigt sich jeder weitere Kommentar! Und so finden wir Indiana Goof zwei Tage später in der ebenso schönen wie großen Hauptstadt des vereinigten Königreiches von England wieder...

GOLD CAR

Tut mir leid, Sir, aber dieses Modell wird seit Jahren nicht mehr gebaut.

Und ich fürchte, auch die Firma, die es hergestellt hat, existiert nicht mehr.

Hat sich der Wagen nicht gut verkauft?

CAR

Mir unverständlich.

Außer dem Ihren fanden nur drei weitere Fahrzeuge einen Abnehmer.

KLICK!

KLACK!

Ich versuche am besten, die Namen der Besitzer herauszufinden. Vielleicht können die Ihnen ja bei Ihren Problemen weiterhelfen.
Eine gute Idee!

Hier sind die Adressen. Die Sache dürfte allerdings nicht ganz einfach werden.
RAPSCH!

Vielen Dank für Ihre Hilfe! Darf ich Ihnen ein paar Negritas anbieten?
Oh, äh... nein danke! Hehe!

Ich fürchte, er wird nicht so glücklich sein, wenn er rausfindet...

„...dass die drei anderen Fahrzeuge über den ganzen Globus verstreut sind!“
N
W
O
S

Erster Halt: Kenia. In einer unzugänglichen Region liegt der kleine, nur den Fachleuten bekannte Nationalpark von W'assis N'dassdha.
Nett hier. Und irgendwo dort unten lebt...
A
...Benjamin Botswana, seines Zeichens Veranstalter von Fotosafaris.
Bei der Gelegenheit mache ich auch gleich ein paar Aufnahmen.
Was treiben Sie da? Das ist lebensgefährlich!
Hurra! Noch ein Goofobil!

Sie sind Benjamin Botswana, richtig?
In voller Lebensgröße!
Und damit ich das auch morgen noch von mir behaupten kann, machen wir uns am besten blitzartig aus dem Staub!
Keine Bange, das Biest erwischt uns nicht. Nashörner sind schrecklich kurzsichtig.
Das hier nicht.
Autsch!
Es heißt nicht umsonst „Falkenauge“!
KRACH!

O nein! Das Bremslicht!
Ach, die Kiste hat schon Schlimmeres überstanden.
Jedes Goofobil, das was auf sich hält, trägt die Spuren seiner Abenteuer.
Nein, sagen Sie bloß, Sie kennen dieses Modell?
Sicher! Ich hab selber eins.
Na, das ist mal eine Freude! Willkommen, Kollege!
Ups! Was ist das?
BROMPEL!
TROOOT!
Nichts wie weg!

Geht ganz schön ab, wie?
Ich muss zugeben, Ihr Goofobil zieht deutlich besser als meines!
WROMM!
Muss uns nicht wundern. In der Karre werkelt nicht mehr der Originalmotor.
!
„Den hab ich auf der Flucht vor einer Herde wütender Wasserbüffel geschrottet.“
ZISCH!
Womit ich mir auch den Zündverteiler abschminken kann.
Aber wenigstens funktioniert der Scheibenwischer noch!
Auch das ist kein Wunder.
FLAPP!
FLAPP!

In dieser Gegend hat es seit drei Jahren nicht mehr geregnet.
Nach kurzer Erklärung und langer Verhandlung...
War mir ein Vergnügen, Kollege!
Ich glaube nicht, dass mein Portemonnaie derselben Ansicht ist.
Wenn Sie wollen, kaufe ich den Wischer nach Ihrem TÜV-Termin zurück. Zum halben Preis natürlich.
Aber wie kommen Sie nun an die anderen beiden fehlenden Teile?
Die kriege ich...
„...von Timor Tibet, dem Nächsten, den mir der nette Verkäufer genannt hat."
Schnauf! Hier irgendwo in der Nähe wohnt er, hat man mir im Tal gesagt.

Scheußliche Gegend. Die Kälte geht durch Mark und Bein.

Da ist mir ein gestandener Schweißausbruch im Dschungel allemal lieber.

Na endlich! Das dort drüben muss das traute Heim von Timor Tibet sein.

Schluck! Die Brücke hat auch schon bessere Zeiten gesehen. Na ja, wird schon halten.
KNARZ...

Doch nicht?
KNIARKS!

Uaaah! Jahahuuu!

Wird eine harte Landung!

Umpf! Zum Glück hat der Rucksack den Aufprall gedämpft!
WUMPS!

Hallo, mein Freund! Waren Sie das, der eben gerufen hat?
Sehen Sie hier sonst noch jemanden, der Grund dazu hätte?

Ich bin auf der Suche nach einem gewissen Timor Tibet.
Den haben Sie gefunden.

Willkommen!
Und wer sind Sie?
Mein
Name ist
Goof, Indiana
Goof.
Tut mir leid wegen Ihrer Brücke.
Aber ich hab das Gefühl, das war
schon länger fällig.
Ich weiß.
Ist schon Jahr-
zehnte her, dass sich da
einer rübergetraut hat.
Wir ziehen
die Steinbrücke vor.
Die ist doch ein gutes
Stück stabiler.
?!

Wenig später...
Darf ich fragen, was Sie in diese Einöde geführt hat, Indiana?
Ganz einfach... bla... bla, bla...
Ah ja. Doch, mein Goofobil hab ich noch. Ein fantastisches Wägelchen!
Kein Einspruch!
Und würden Sie es mir zeigen?
Ich hab's bei einem Freund untergestellt.
Der gibt Kurse in transzendentaler Meditation in einem Kloster hier in der Nähe. Wenn Sie möchten, kann ich Sie gern hinführen.
Deshalb...
Ich gebe zu, eine richtige Straße hätte ich hier oben in den Bergen nicht erwartet.
Auch hinter dem Mond muss man mit der Zeit gehen.

Eine ansehnliche Zahl an Stunden später...
Wir sind am Ziel! Dort oben im Kloster lebt mein Freund.

Oh, was sehe ich? Das ist doch eine Bergorchidee!

Was für eine wunderschöne Pflanze.

Und außerordentlich selten!
Äh... Sie sollten sie lieber nicht berühren.

Warum nicht? Haben Sie etwas dagegen?
Nun, ich weniger, aber...

...der Yeti hasst es, wenn man sich an den Blumen vergreift!
Grrraul!
Uack!
Groar! Groll!
WUMP!
BUMP!
Das hätte Ihnen früher einfallen sollen!
Schnell, steigen Sie in den Korb!
QUIETSCH!
Hehe! Unser hauseigener Yeti ist eigentlich eine Seele von Untier. Aber wenn es um seine Blumen geht, kann er zur Bestie werden.

Gleich darauf...
Das Goofobil? Ja, natürlich. Das steht drüben in unserem alten Kornspeicher.
Darf ich es sehen?
Hier, bitte! Es ist schon lange nicht mehr bewegt worden.
Oh, oh.
Herrje! Das hatte ich befürchtet!
Die Mäuse haben sich über die Kabel des Zündverteilers hergemacht. Der hat nur noch Schrottwert.
Aber immerhin ist das Rücklicht in erstklassigem Zustand.
Das können Sie haben. Über den Preis werden wir uns schon einig.

Wollen Sie den Wagen nicht richten lassen?
Nein, ich habe keine Verwendung dafür.

Ich komme nicht viel herum.

Und für das Wenige genügt die Kraft des Geistes.
!?!

Einige Tage später, weitab von jeder Zivilisation, tief im Urwald des Amazonas...
Was macht man nicht alles für einen funktionstüchtigen Zündverteiler!
TSCHACK!
TSCHACK!

Und was das betrifft, ist Paolo Piper meine letzte Hoffnung.
TSCHACK!

Der Mann arbeitet als Buschpilot und Reiseführer. Er führt Waghalsige in die Wildnis und im besten Falle auch wieder heraus.

Eine Landebahn für Kleinflugzeuge. Das sieht gut aus.

Da es die einzige in der Gegend ist, wird es wohl die sein, die ich suche.
WRRRRR!
VRRRRRRR!
!
ROARR!
Tauchstation!

Pfuh!
Das hätte leicht ins Auge gehen können.
BREMS!
Sie sollten ein bisschen besser aufpassen. Bei einem Unfall geht so ein Flieger schwer ins Geld!
Sie haben vielleicht Nerven.
Ich wette, Sie sind Paolo Piper! Hab ich recht?
Haben Sie, mein Bester!
Tourist, vermute ich mal. Wollen sich ein wenig im Urwald tummeln, richtig geraten?
Eigentlich eher nicht.
Und nachdem Indiana seine Geschichte zum Besten gegeben hat...
Hier, bitte! Wie Sie sehen, ist mein Goofobil uneingeschränkt einsatzfähig.

Schleich dich, Filippo!
Ups!
WUPP!

Der Motor läuft noch immer rund wie am ersten Tag.

Ja, der Zündverteiler sieht tadellos aus. Was wollen Sie dafür haben?
Mit so was kenne ich mich nicht aus.

Geschäftliche Verhandlungen überlasse ich üblicherweise meinem Partner...
?

„...Ignazio Ipanema."
Dreihundert!

Vierhundert!

Fünfhundert?

Und endlich kann sich Indiana Goof auf den Weg zurück nach Entenhausen machen...

Aber überzeugen Sie sich ruhig selbst.
Das werde ich tun!
BREMSEN OK
OK

Mal sehen... ja, ja...

Hmm...
Was ist? Noch was nicht in Ordnung?
KRATZ!

Hmpf! Na bitte! Genau, wie ich es erwartet hatte.
KRIETSCH!
KNIETSCH!

Die drei neuen Teile sind nicht zu beanstanden, aber...
?!

...dafür lassen die Stoß-
dämpfer sehr zu wün-
schen übrig. Die müs-
sen ausgetauscht
werden.
O nein!

Buhuuu! Dabei hat
man mir versichert, dass
das Modell „Delux“ nicht
kleinzukriegen ist!
Was
sagen Sie da?

Oh! Tut mir leid! Das Schild hab
ich unter all dem Schmutz nicht
bemerkt!
WISCH!
DELUX

Das Modell
„Delux“ muss lediglich
alle zwanzig Jahre
vorgeführt werden!
Waaaaas?

Zu Hilfe! So beruhigen
Sie sich doch!
Erst wenn ich mich
gebührend abreagiert
habe! **Schnaub!**
ENDE

Paul Halas (Story), **Fecchi** (Zeichnungen)

Das arme Mädchen ist noch immer recht mitgenommen, wirr gar, seit sie beim Ausritt vom Pferd gefallen ist. Hoffentlich können Sie ihr helfen.

Die arme Daisy. Da plant sie friedliche Ferien bei ihrer Tante in England, und dann ein kurzer Galopp – und hopp.

Wär doch gelacht, wenn mein sonniges Gemüt und mein strahlendes Lächeln sie nicht aufheitern können.

Heißt es nicht: „gutes, altes England"? Dabei ist dieser Zug modern, mondän und bequem.

Mir wird ganz poetisch ums Herz. Ich stelle mir das Anwesen von Mrs. Drakesworth als verwunschenes Schloss vor... Na, vielleicht sehe ich auch nur die falschen Filme.

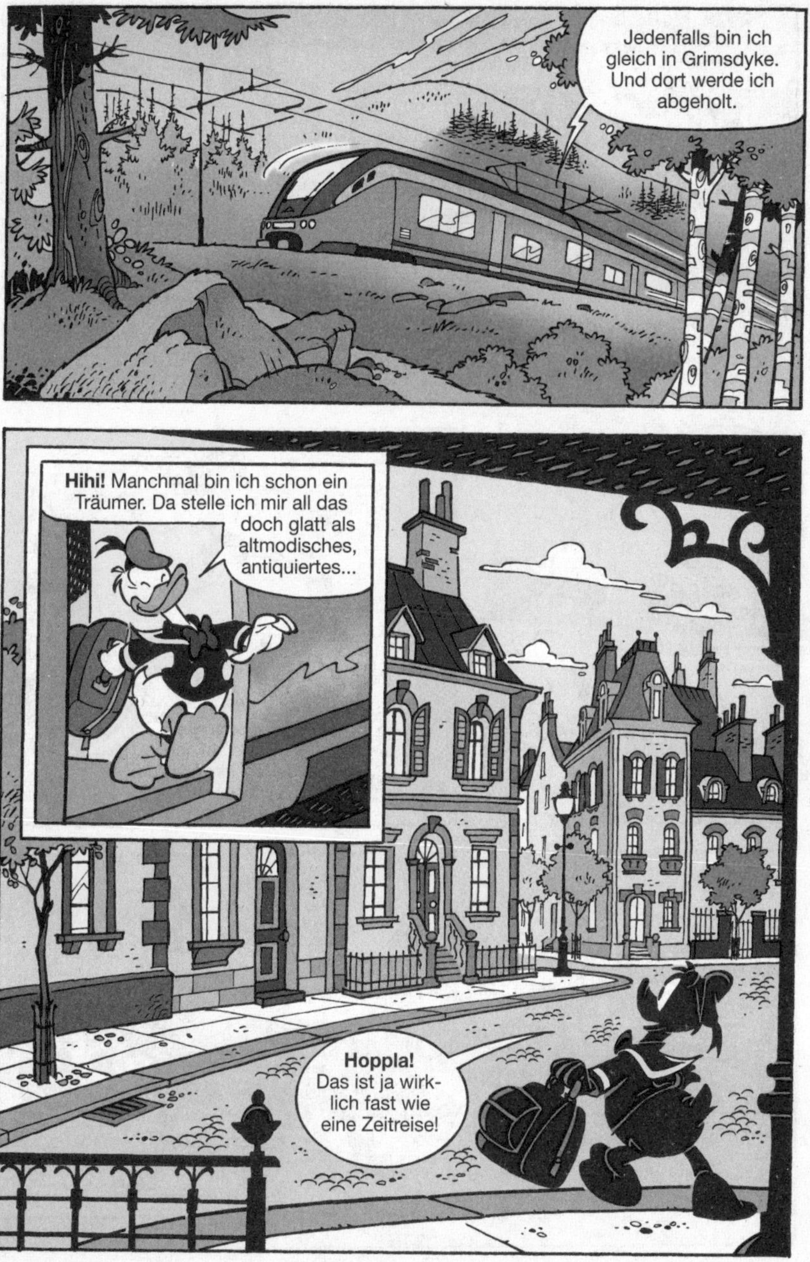

Hihi! Manchmal bin ich schon ein Träumer. Da stelle ich mir all das doch glatt als altmodisches, antiquiertes...

Hoppla! Das ist ja wirklich fast wie eine Zeitreise!

Sieht aus wie im 19. Jahrhundert, wenn man von dem Restaurant da absieht.
SCHWARZER SKORPION CHINESISCHES RESTAURANT

Wenn Sie mal nicht Herr Duck sind!
Wie?
Springen Sie auf, ich kutschiere Sie zum Anwesen derer von Drakesworth.

Danke. Und wer sind Sie?
Oh, ich bin Butler, das treue Faktotum der werten Edeldame.

Ein Butler? Trostlos hier.
Ich **heiße** Butler. Sie sollten das mal im Winter sehen.
Klingt einladend... Sagen Sie bloß, diese abgewrackte Hütte ist unser Ziel? 
Ist es, auch wenn ich die Wortwahl missbillige.

Sie müssen Donald sein – endlich!

Daisy befand sich auf einem Ausritt mit unserem Nachbarn Lord Roderick Snidely, als es am Bleakmoor Crag zu diesem schrecklichen Unfall kam.

Körperlich fehlt ihr nichts, aber... sehen Sie nur selbst.

Murmel.
Daisy!

Duckcliff! Mein Liebling! Endlich!

Äh, ich bin Donald, erinnerst du dich?

Aber... aber... **ächz!**
PLUMPS!

Arme Daisy! Was hat das nur zu bedeuten?
Bitte erzählen Sie mir, was passiert ist! Aber alles!

Ich... ich bin viel zu aufgewühlt. Butler, bitte übernehmen Sie das.

Gern, Madame. Kommen Sie mit in den Blumensaal, ein bisschen Farbe heitert uns vielleicht auf.

Die Geschichte führt uns 150 Jahre in die Vergangenheit, in eine Zeit, in der das Anwesen von Wärme, Heimeligkeit und Lachen erfüllt war...
„Rosie Drakesworth war eine anmutige Edeldame, die sich unglücklicherweise unsterblich in den armen Stallburschen Duckcliff verliebt hatte. Nicht standesgemäß, hieß es. Also..."
„...wurde ihnen der Umgang untersagt und Duckcliff suchte sein Heil in der Flucht und in der Ferne."

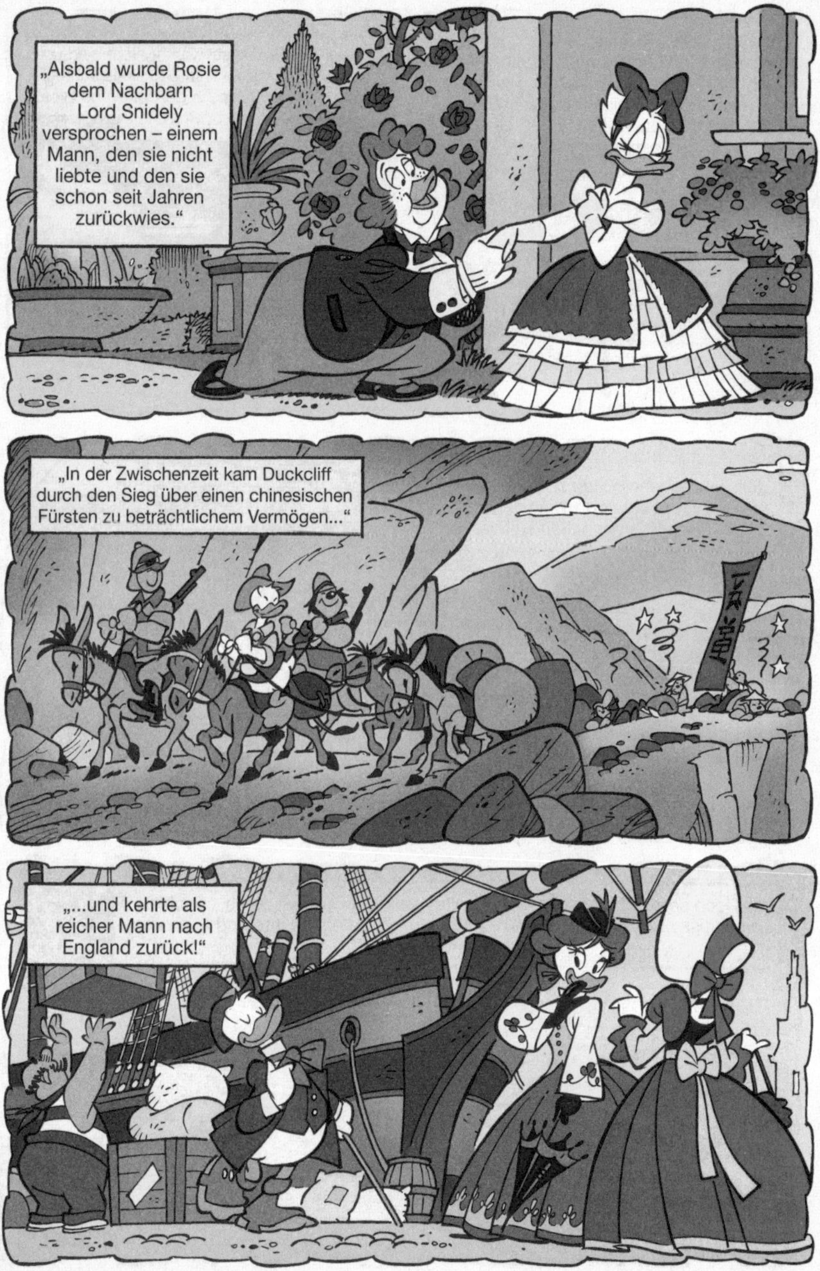

„Alsbald wurde Rosie dem Nachbarn Lord Snidely versprochen – einem Mann, den sie nicht liebte und den sie schon seit Jahren zurückwies."

„In der Zwischenzeit kam Duckcliff durch den Sieg über einen chinesischen Fürsten zu beträchtlichem Vermögen..."

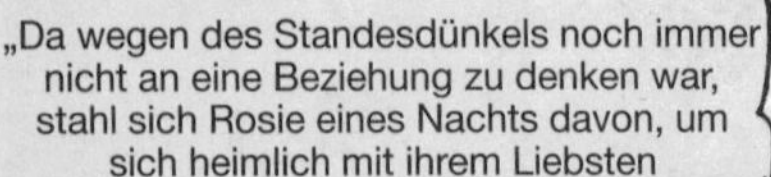
„Da wegen des Standesdünkels noch immer nicht an eine Beziehung zu denken war, stahl sich Rosie eines Nachts davon, um sich heimlich mit ihrem Liebsten zu treffen.“

„Aber das Schicksal war ihr nicht hold und so verschwand sie während eines schrecklichen Schneesturms in der Nähe von Bleakmoor Crag.“

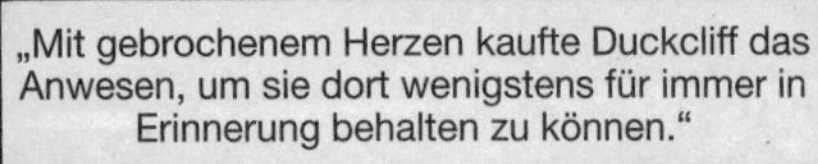
„Mit gebrochenem Herzen kaufte Duckcliff das Anwesen, um sie dort wenigstens für immer in Erinnerung behalten zu können.“

„Doch sein Schmerz über den Verlust war so groß, dass auch er sich in einer eiskalten und stürmischen Nacht auf den Weg machte und für immer verschwand.“

Zumindest mehr oder weniger! Denn in finsteren Nächten kann man die Rufe der verlorenen Seelen im Moor hören, die verzweifelt versuchen, zueinanderzufinden – getrennt im Leben wie auch im Tod.

Hat Daisy noch irgendetwas gesagt?
Nein, Eure Lordschaft.

Sie sind morgen aus unserem Land verschwunden. Ist das klar?
Wie bitte?

Sie haben mich genau verstanden! Nur mir wird Daisy alles über Duckcliffs Vermögen erzählen. **Nur mir!**
Wurgs.

Kommen Sie mir also nicht in die Quere, sonst...

RUMMS!

Was für ein widerlicher Wicht!
Ich stimme Ihrer Wortwahl entschieden zu.

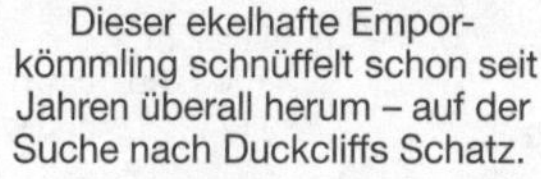
Dieser ekelhafte Emporkömmling schnüffelt schon seit Jahren überall herum – auf der Suche nach Duckcliffs Schatz.

Wie? Ein Schatz?
Oh, allerdings. Das stattliche Vermögen, welches er damals mit nach Hause brachte, tauchte niemals auf.

„Und dieser anmaßende Aristokrat glaubt, er habe das Recht, unser gesamtes Anwesen mit allen Mitteln und ohne Rücksicht auf Verluste zu durchsuchen."

Und nun, da Miss Daisy offenbar von Rosies Geist besessen zu sein scheint...
...erhofft er sich von ihr wertvolle Hinweise auf den Verbleib des Schatzes.

Da kann er lange hoffen. Duckcliff war schließlich viel zu schlau für einen Tölpel wie diesen Roderick Snidely.

Am nächsten Tag...
Vielleicht sollte ich mir Bleakmoor Crag einmal aus der Nähe ansehen.

Laue Luft unter den sanft streichelnden Strahlen der Sonne... Balsam für die Seele!

Hihi, schon wieder ein romantischer Anfall.

Hm... ob es wohl normal ist, dass sich hier so viele chinesische Vogelkundler tummeln?

Da wäre ich nun... und fühle etwas Bedrohliches um mich herum.
Dein Gefühl trügt dich durchaus nicht, Matrose! Und sag nur nicht, ich hätte dich nicht gewarnt.
Oha! Der meint es ernst!
Wenn ich mit dir fertig bin, taugen deine Federn gerade noch für ein kümmerliches Kopfkissen!
Bitte verzeihen Sie!
BLAMM!
Hrmpf! So ein Mist!

Verflucht! Der entwischt mir am Ende noch.

Keuch! Dieser Irre gehört umgehend in die Klapse!

Tally-ho!
Ah, die Vorfreude ist das Schönste an der Jagd!

Ich hab's fast geschafft. **Schnauf!**

Dieser Eindringling wird mir meinen Schatz nicht rauben. **Niemals!**

Für dich gibt's kein Entkommen, Matrose!

Ah! Die angemessene Waffe für den Handstreich gegen einen Rivalen!

Verflixt! Weiter nach oben geht's wohl nicht.

Endstation, Matrose. Das war's dann!

Huch!
O nein!

Aaaaargh!

Fieser Feigling. Ich hätte ihn doch so gerne geschubst!

Pah! So ein Spielverderber! Egal, ich sollte nachsehen, ob die ausgeflippte Trulla Neues zu erzählen hat.

Oh! Und? Ist er...
Glück im Unglück. Er ist nur ohnmächtig, ein mächtiger Rosenbusch hat seinen Sturz abgefedert.

Mit Federn
hat es der
Knilch wohl...

Ruhen
Sie sich ein
wenig aus.

Duckcliff!
Rosie!

Unfassbar –
nach all diesen langen
Jahren sind die beiden
verlorenen Seelen
endlich vereint!

Orgl. Urk. Was
ist geschehen?

Stöhn. Was tue ich denn hier?
Beruhige dich, Kleines. Du hattest einen Unfall, aber jetzt ist alles wieder gut.

Rosie und Duckcliff haben ihren Frieden gefunden. Schnüff. Welch wunderbarer und ergreifender Augenblick.

Hat Duckcliff dir was geflüstert, als er in deinem Kopf war? Raus damit!
Ja. Er hatte tatsächlich eine Botschaft für Sie!

Er sagte: Sie werden nie etwas finden! Nie im Leben!

WUMM!
BUMM!

Oh! Da ist wohl jemand an der Tür.
RUMMS!

Vergeben Sie die...
...Störung, aber wir beobachten dieses Anwesen nun schon viele Jahre!
Und nun sind wir sicher, dass der „Schatz des Schwarzen Skorpions“ hier versteckt sein muss.

Aha. Und nun?
Nun wollen wir ihn zurück!

ROMMS!

Das lassen wir uns nicht bieten! Jetzt ist Köpfchen gefragt.

KRACK!

Ein altes chinesisches Sprichwort sagt: Holz ist oft härter als ein Holzkopf. Hihi!

Schluss mit lustig! Jetzt geht's richtig los!

Hrmpf! Gut Holz!
TSCHACK!

Vorsicht! Baum fällt!

Attacke! Das Tor wird uns nicht aufhalten!

Die Tür wird nicht lange standhalten, fürchte ich.
KRACKS!

Hier muss es doch einen Geheimgang geben...
Ja, diese Anwesen haben immer einen Fluchtweg in petto.

KNARTSCH!
Ich schätze, wir haben nicht mehr als eine Minute.

Beeilung! Die Tür gibt bereits nach!
KRACKS!

Zum Angriff!
Uargh!
KRATSCH!

O weh!
Das ist erst der erste von 34 Räumen...
Verwirrend, all diese Verzierungen! Aber hier ist...

...eine einzelne Rose! Hm... Rose... Rosie...

Juhuu! Ich hab den Fluchtweg gefunden!

Respekt! Das wäre mir nie im Leben eingefallen.
Gute Güte, ist das aufregend.

So was! Sehen Sie nur!

Ein altes Segelschiff! Es stammt in etwa von 1850, wenn ich nicht irre.

Ein Motorboot wäre mir zwar lieber, aber wer wird sich jetzt noch be-schweren!

Mit Sicherheit niemand – bei dieser Ladung!

Duckcliffs Schatz ist bereits an Bord! In voller Pracht!

Leinen los, Mr. Butler!

Aye, aye, Kapitän!

Das Schiff ist noch immer in ausgezeichnetem Zustand!

Leider sind
wir nicht
allein.

Ein erstaunlicher
Anblick! Chinesische
Dschunken sieht
man wahrlich nicht
oft in unseren
Gewässern.

Wir fordern den
Schatz zurück, der
unseren Vorfahren
gestohlen
wurde!

Vermutlich! Aber sie
wird nicht lange zu
sehen
sein.

Feuer!

Nanu! Wo bleibt denn der Knalleffekt?

Hm... nichts zu erkenn...

BOMM!

Macht mir das bloß nicht nach, verstanden?!

ZAWUSCH!

?

ZAWISCH!

KRACKS!
Ein Schuss, ein Treffer. Darf das sein?

Das nenne ich einen Volltreffer! Sie sinken!

Oha. Ein kleiner Jubelhopser und schon breche ich durchs Deck?

Ein Hopser zu viel. Die Planken sind völlig morsch!
Das war's. Wir sinken auch.

Hätte ich als Kind nur Schwimm-
unterricht genommen... aber Mama
bestand auf dem Bridgekurs.

So ein Glück!
Sieh nur, die
Küstenwache.

Kommen
Sie an
Bord...
...und
verraten Sie
uns, was hier
passiert ist!

Nun... äh...
wir stellen historische Seeschlachten nach. Jeden...
...Sonnabend ein lustiges Kawumm!

Ausgezeichnet. Ich wusste doch, dass es dafür eine schlüssige Erklärung geben würde.

Gut. Und wo ist jetzt der Schatz?

Der liegt da unten, Kumpel!

Verzeihen Sie, besteht denn eine Chance, unsere beiden Schiffe zu bergen?

Ich fürchte nicht! Die Strömung ist hier sehr stark und dürfte sämtliche Wrackteile bereits über mehrere Seemeilen verteilt haben.

Nochmals vielen Dank, Leute!
Kleiner Tipp: Spielen Sie nächstes Mal lieber Schlachten auf dem Festland nach.

Wirklich zu schade um den schönen Schatz.
Zumindest haben wir alles versucht.

Nehmen Sie. Sie sind uns jederzeit willkommen.
Hmm?

SCHWARZER SKORPION
CHINESISCHES RESTAURANT
SPEZIALITÄT: ENTE SÜSS-SAUER

Jetzt geht's wieder zurück an den Wok. Seufz.

Schade, mit einem Bruchteil des Schatzes hätten Sie das ganze Anwesen wieder herrichten lassen können.

Wie gut, dass ich mir noch etwas in die Taschen gesteckt habe, bevor das Schiff unterging.

Ausgezeichnet. Das habe ich übrigens auch getan.

Wir natürlich auch!

Was sind wir doch für kleine Teufelchen. Kicher.

Das reicht jedenfalls locker, um das ganze Gehöft gekonnt restaurieren zu lassen.

Stöhn!
Was ist das?

Das kann nur dieser Roderick sein.
Hoch damit!

Bliep!?!

Rosie, mein geliebtes Täubchen. Was hast du denn? Warum starrst du mich so an?
Oha.

Ist das nicht irre?
Jetzt ist er vom Geist seines Ahnen besessen. Eine verrückte Welt.

Ich schlage vor, ihn besser in diesem Zustand zu lassen.

Eine Blume für die schönste aller Rosen. Anmut tut gut!
Er ist eine Nervensäge...
...aber in diesem Zustand eine zweifelsfrei zuvorkommendere als zuvor! Das nenne ich ein gutes...
...ENDE

Duell der Giganten

Rodolfo Cimino (Story), **Romano Scarpa** (Zeichnungen)

Zum Kuckuck! Diese unnütze Sucherei macht mich noch ganz krank!

Oje! Der arme Onkel Dagobert!
Wir müssen ihm helfen!
Ach je! Ach weh!

Bringen wir ihn zu uns!
Onkel Donald kocht heute was ganz Leckeres zum Mittagessen!

Mjam! Danke, Kinder, ihr rettet mir das Leben! **Mampf! Schmatz!** Ich weiß aber nicht, ob ich lange hierbleiben kann... **mampf!**
!?!

Ich muss dauernd daran denken, dass... Was sagt denn das Radio?
Beruhige dich! Das ist nur die Werbung!

Es ist einfach schrecklich!
Sag's uns! Was ist denn so schrecklich, Onkel Dagobert?

Ich habe seit zehn Monaten nichts mehr von den Panzerknackern gehört!

RATSCH!
Sicher sitzen sie jetzt zusammen und hecken irgendwas ganz Übles gegen mich aus!
Trink erst mal einen Schluck Fruchtsaft! Das baut dich wieder auf!

He, immer hübsch langsam! Lass mir einen Schluck übrig! Ich hab auch Durst!
Gluck, gluck, gluck...

An deiner Stelle würde ich mich darüber nicht aufregen!
Hmpf!

Die Wände deines Geldspeichers bestehen schließlich aus meterdickem Stahl! Da kommt so leicht keiner durch!

Und in der Tat...

So ist es dann auch...
Ächz! Umpf! Die Bohnen liegen einem wirklich wie Blei im Magen! Ich kann einfach nicht einschlafen!
ZZZZZZZ...

STAMPF!
Huch! Was ist denn das?

KRACKS!
STAMPF!
Das Geräusch kommt doch direkt auf unser Zelt zu!

Schluck! Di-dieses schreckliche Stampfen kommt immer näher! Das muss etwas sehr Großes und... Entsetzliches sein! Bibber!
STAMPF!
KNARZ!

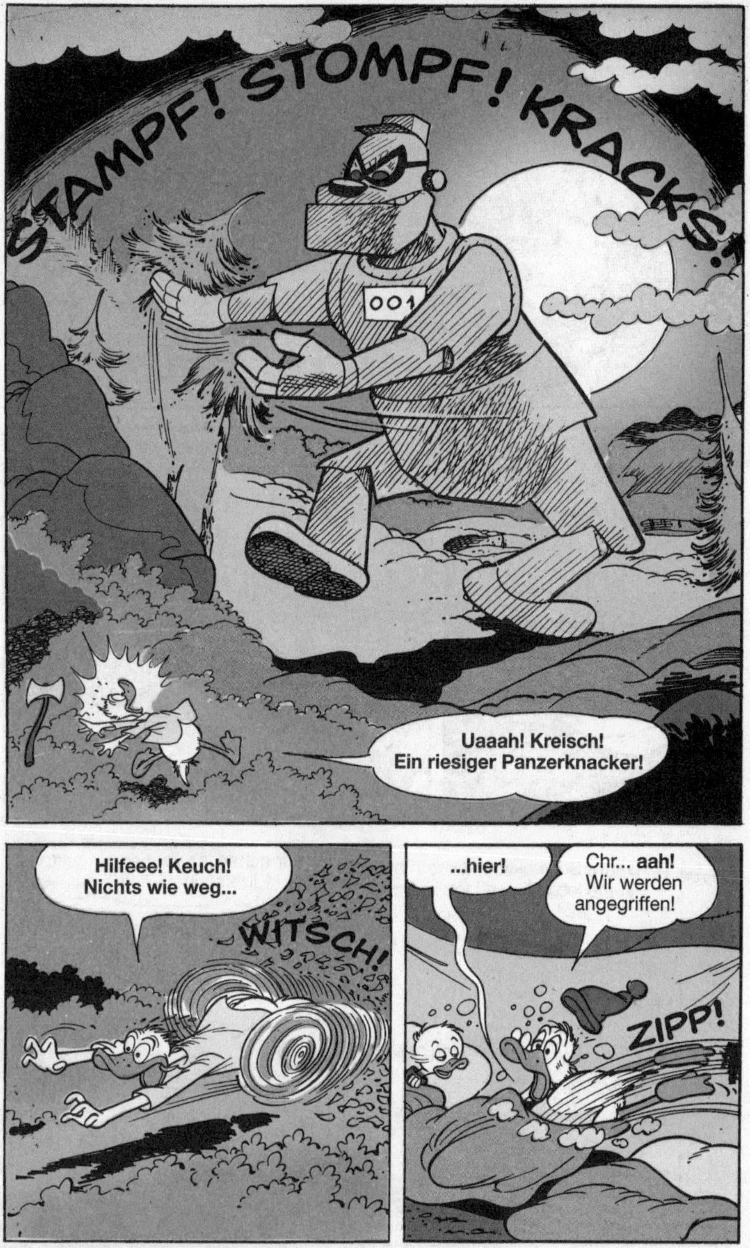

STAMPF! STOMPF! KRACKS!
001
Uaaah! Kreisch!
Ein riesiger Panzerknacker!

D-d-da-da draußen ist ein riesiger Panzerknacker! Er kommt direkt auf uns zu! Hö-hört ihr sein Stampfen?
?

Da ist nichts zu hören und nichts zu sehen!

Macht es dir etwa Spaß, anderen den Schlaf zu rauben?

In Zukunft solltest du abends weniger Bohnen in dich reinstopfen!
Der kann doch nie genug kriegen!

Am Morgen...
Gähn! Schrecklich, diese Albträume letzte Nacht! Ich brauche jetzt erst mal einen starken Kaffee!

Wir gehen inzwischen ein paar Pilze suchen!
Aber lauft nicht zu weit weg!

Seht mal dahinten! Das sieht nach einer guten Stelle aus! Vorwärts! Wer als Erster da ist!

Huch! O nein! Vorsicht, Track!
Aah!

Alles in Ordnung mit dir?
Ja, nichts passiert! Zum Glück ist die Grube ja nicht so tief!

Hm... komisch! Das Loch scheint relativ frisch zu sein! Außerdem sieht es nicht wie eine Grube aus, sondern wie ein...

Kommt, wir steigen auf diesen Hügel!
Du hast recht! Von hier oben haben wir...
...einen besseren Überblick!

Seht euch das an! Das habe ich fast schon befürchtet! Es handelt sich um riesige Fußabdrücke!

Also hat Onkel Donald heute Nacht doch nicht geträumt! Der Riese war echt!
Und wie!
Und so...
Was ihr nicht sagt... Kommt, wir müssen rausfinden, was dieser Gigant vorhat!
Am besten folgen wir den Spuren!
Glaubt ihr mir jetzt endlich?

Ich möchte lieber gar nicht wissen, was das für eine Schuhgröße ist!
PST
PST!
PST!

Und plötzlich...

Hurra! Hahaha! Der Test unseres stählernen Panzerknackers war ein voller Erfolg!
Hahaha! O ja! Schon bald gehören Bertels Talerchen uns!
27-46
27-41
27-43

Das war echt eine geniale Idee mit den Röntgenbildern aus dem Gefängniskrankenhaus!
27-46

Die haben uns wirklich sehr geholfen, ein kolossales Ebenbild von uns zu bauen! Einen Giganten!
ENTENHAUSENER GEFÄNGNIS

Unser riesiger Panzerknacker ist genauso kriminell wie wir! Und außerdem ist er bedeutend stärker!

Wenn unser neuer Freund uns so ähnlich ist, was ist dann wohl sein größter Wunsch?
Na, dem alten Duck seine Penunze zu klauen!

Und dann haun wir mit dem Hämmerchen das Sparschwein...

Ächz! Ich hab's doch geahnt! Die Panzerknacker haben was ganz Großes vor! Ich bin erledigt!
WOMMS!
Und was tun wir nun?

Erst mal raus hier! Wir wissen jetzt ja alles, was wir wissen müssen!

Im Handumdrehen wird das Zeltlager abgebrochen...

Wir sind am Geldspeicher!
DD

Schnell, Kinder! Bringt Onkel Dagobert nach drinnen!

Zuerst muss er jetzt mal wieder zu sich kommen! Wo ist denn das Riechsalz?

SCHNÜFFEL!
SCHNÜFF!
RIECH-GOLD XXL

Murmel... stöhn... murmel... was ist geschehen? **Schluck!** O nein, ich erinnere mich wieder! Schnell, bringt mir meine Rollschuhe!
SCHNÜFF!
RIECH-GOLD XXL

O Unglück! O Verderben! Ich Ärmster! Ich muss zum Äußersten greifen!
BOMM!

Keine Angst! Der hat einen harten Schädel!

Schon, aber seine seltsame Einschläferungstaktik löst sein Problem nicht! Wir müssen uns überlegen, wie wir uns gegen den Stahlkoloss zur Wehr setzen können!

In ihrem Versteck bereiten die Panzer-knacker inzwischen ihren Angriff vor...

Nach vielen Stunden harter Arbeit...

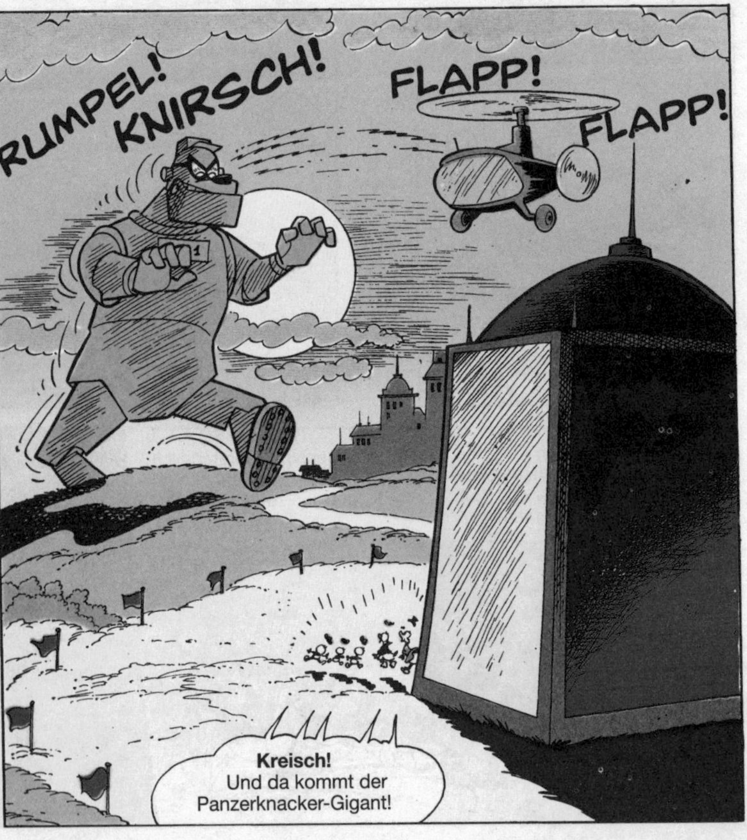

RUMPEL!
KNIRSCH!
FLAPP!
FLAPP!
Kreisch!
Und da kommt der Panzerknacker-Gigant!

Haha! Gut so! Vorwärts, mein Kleiner! Greif dir den Mammon!
2746

001
KRACK!
Verflixt! Der hat mit einem Schritt das ganze Minenfeld überquert!

KNARZ!
KNIRSCH!
Kreisch! Das darf doch nicht wahr sein!
KRATSCH!

Schluss damit! Lass sofort meinen Geldspeicher los! Die Taler sind mein Eigentum!
PING!

UPS!

Mei-mei-meine Taler... **glucks...** nein, das darf nicht sein! Nein... nicht meine Taler... **fieps!**

Ich gebe noch lange nicht auf! Dem Blecheimer zeige ich die Krallen!
Nicht, Onkel Dagobert! Denk...

WUMM!
...an die Minen!

Schändlich ist das, jawohl! Ich hab mich selbst hier eingesperrt, mit meinen eigenen Minen!

KNIRSCH!
Was soll nur aus meinen kleinen Lieblingen werden?

Wir können hier doch nicht untätig herumstehen! Wir müssen die Polizei verständigen!
Wie denn? Denk an die Minen, Onkel Dagobert!

Ich werde ganz leichtfüßig über sie hinweghüpfen! Minen explodieren schließlich nur, wenn man richtig fest drauftritt!

WUMM!
Stöhn! Ich hatte ganz vergessen, dass meine Minen ein ganz besonders sensibler Typ sind! So wird das wohl nichts!
PLOMPS!

Wir könnten ja versuchen, Signale zu übermitteln!
Eine Kerze und ein Spiegel sind da schon genug!

Und so...
Alarm! Vom Hügel mit dem Geldspeicher werden Lichtsignale gesendet! Und... oha!

Der Geldspeicher ist verschwunden! Wir müssen sofort etwas unternehmen!

Endlich! Da kommt ein Polizeiwagen! **Hurra!**
LALÜLALAAA!

Halt, nein! Wir müssen sie stoppen! Sie fahren direkt ins Minenfeld!
O Schreck! Zu spät!

POLIZEI
KAWUMM!

Seufz! Ich wollte die Minen eigentlich etwas anders von meinem Grundstück räumen! Aber so geht's auch...

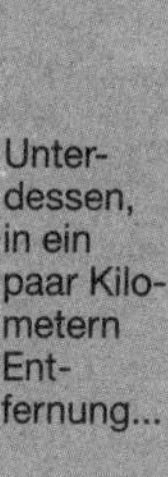
Unter-
dessen,
in ein
paar Kilo-
metern
Ent-
fernung...

Wir stoppen ihn hier, direkt neben dem Treibstoff-tank!
TREIBSTOFF
STAMPF!

Und jetzt greifen wir uns die Schätze!
001

Hurra!
Wartet! Und wer passt dabei auf den Roboter auf?
Das macht der Autopilot für uns!
27-47

Stimmt! Hatte ich ganz vergessen!
STEUERUNG

Wartet, ihr lieben Talerchen! Gleich sind wir bei euch!

Der gigantische Panzerknacker hat den Hubschrauber – und damit auch die Fernsteuerung – einfach platt getreten...

Anhalten!
127-41

Gehorche! Wir sind deine Gebieter!

BOFF!

Autsch! Aua! Warum muss bei uns denn auch immer alles schiefgehen?!
Ächz! Stöhn! Wir hätten ihm lieber Sohlen aus Weichgummi verpassen sollen!

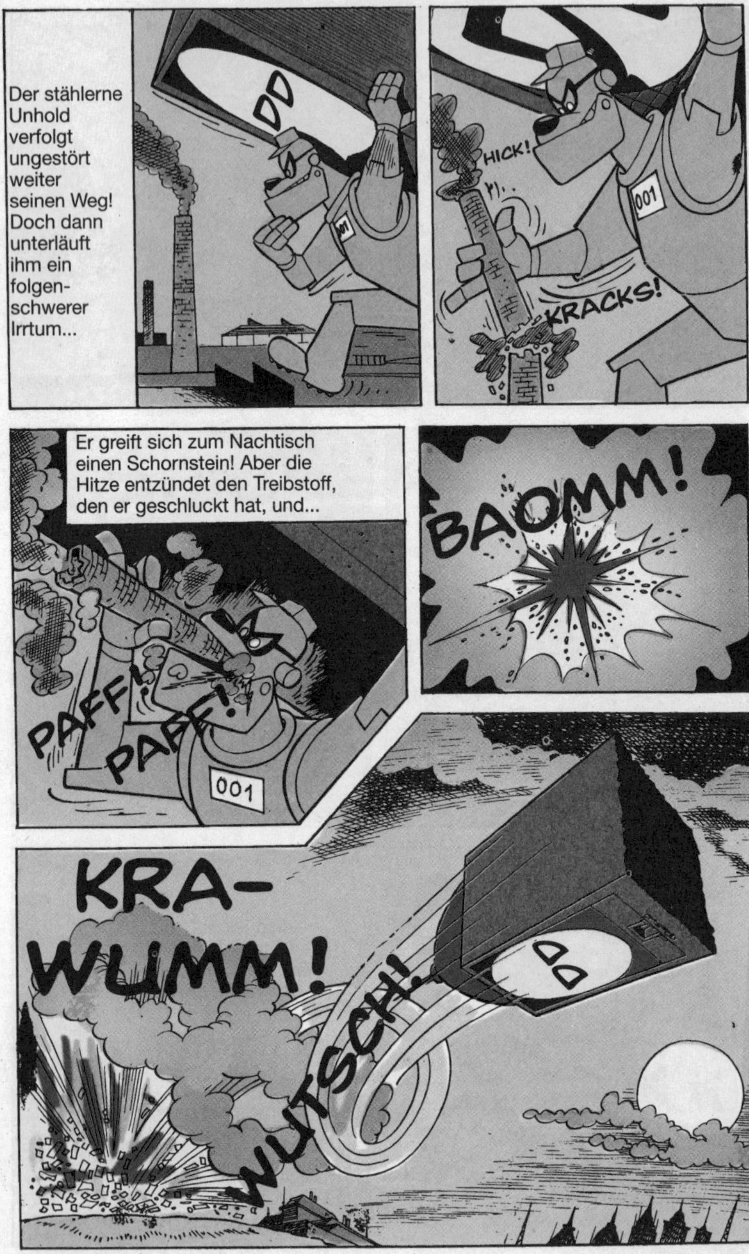

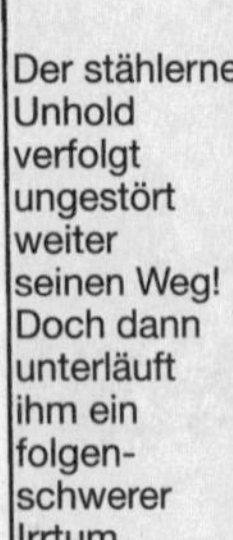

Er greift sich zum Nachtisch einen Schornstein! Aber die Hitze entzündet den Treibstoff, den er geschluckt hat, und...

PAFF! PAFF!

001

BAOMM!

KRA-WUMM!

WUTSCH!

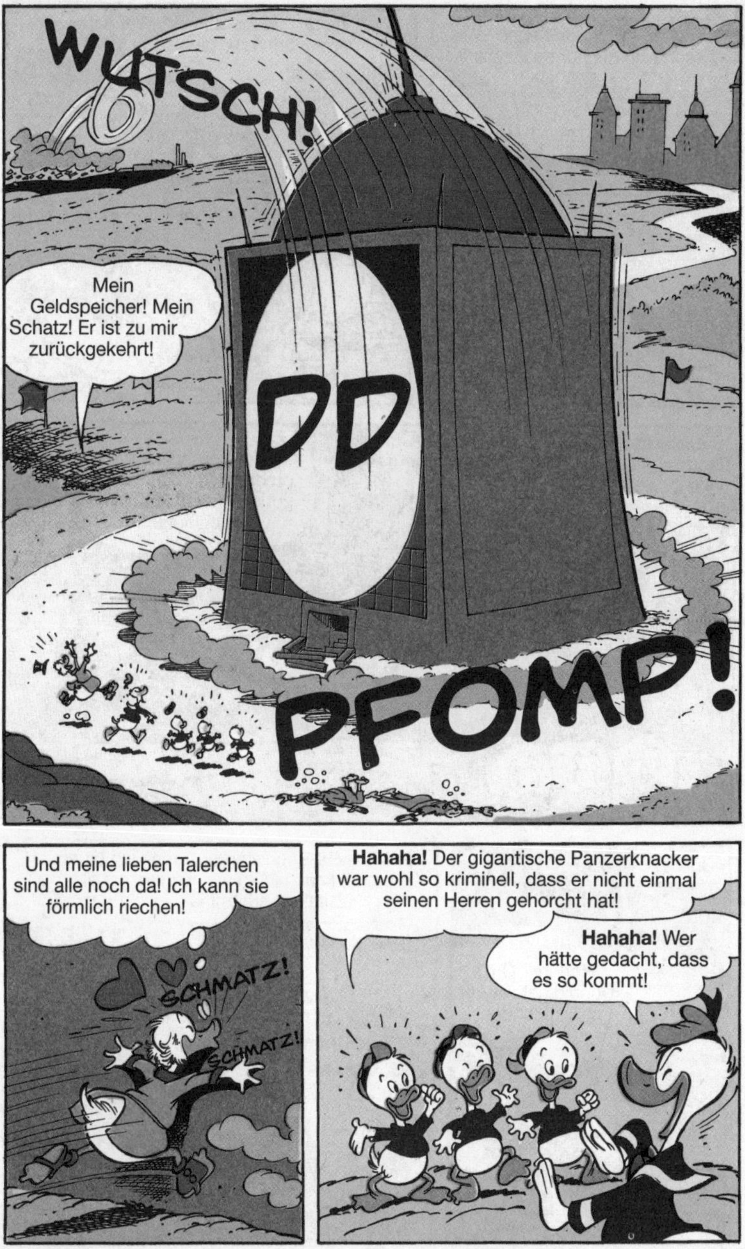

WUTSCH!

Mein Geldspeicher! Mein Schatz! Er ist zu mir zurückgekehrt!

DD

PFOMP!

Aber was ist mit den Minen? Wie lassen sich die nur beseitigen?

Da fällt mir gerade ein: Wer hatte denn vorhin die glorreiche Idee mit dem Minenfeld?
!

Bleib sofort stehen, du Tunichtgut! Du wirst die Minen hübsch wegräumen, und zwar allesamt! Stück für Stück!
O nein! Schließlich hast du die Idee doch auch gut gefunden! Ich bin unschuldig!

Doch...
BUMM!
Hört ihr? Onkel Donald hat wieder eine gefunden!

Etwas mehr Begeisterung, wenn ich bitten darf! Ich kann nicht ewig warten, bis die Zufahrt geräumt ist!
ENDE